Annamaria Di Francesco – Ciro Massimo Naddeo

Bar ITALIA

articoli sulla vita italiana per leggere, parlare, scrivere

Alma Edizioni - Firenze

Progetto grafico e impaginazione: **Andrea Caponecchia**

Copertina: **Sergio Segoloni**

Disegni: **Luigi Critone**

Fotografie: **Alessio Musumeci**

Articoli: pag. 15 "Corriere della sera" del 12-03-02; pag. 20 e pag. 24 "la Repubblica" del 7-10-00; pag. 30 "Io donna - suppl. del Corriere della sera" del 15-4-00; pag. 38 "Io donna - suppl. del Corriere della sera" del 6-3-00; pagg. 46-47 "Il Venerdì di Repubblica" del 9-2-00; pagg. 54-55 "Famiglia Cristiana" del 30-9-01; pag. 56 "Io donna - suppl. del Corriere della sera" del 26-5-01; pagg. 60-61 "Anna" del 7-7-2001; pag. 66 "Il Venerdì di Repubblica" del 16-3-2001; pag. 71 e pag. 75 "la Repubblica" del 26-11-00; pag. 78 e pag. 82 "la Repubblica" del 13-08-2001; pag. 87 "Il Venerdì di Repubblica" del 10-12-99; pag. 92 "Il Venerdì di Repubblica" del 4-5-99; pag 94 "Il Messaggero" del 17-06-01; pag. 99 "Panorama" del 7-02-02; pag. 102 "la Repubblica" del 4-11-00; pag. 108 "la Repubblica" del 12-9-01; pag 115 "Leggo" del 19-9-01; pag. 117 "Il Venerdì di Repubblica" del 27-01-01; pag. 124 "D di Repubblica" del 6-2-01; pagg. 128-129 "la Repubblica" del 24-06-01; pag. 132 e pag. 136 "Il Venerdì di Repubblica" del 14-04-00; pag. 142 "Il Venerdì di Repubblica" del 29-07-01; pag. 150 "Il Venerdì di Repubblica" del 23-3-01; pagg. 158-159 "la Repubblica" del 27-09-01

I capitoli: 1, 3, 5, 7, 9, 11, 13, 15, 17, 19, 21 sono opera di A. M. Di Francesco, i capitoli 2, 4, 6, 8, 10, 12, 14, 16, 18, 20, 22 sono opera di C. M. Naddeo.

Le fotografie di pag. 42 e di pag. 70 sono di Giuliana Trama

Alma Edizioni
viale dei Cadorna, 44
50129 Firenze
tel ++39 055476644
fax ++39 055473531
info@almaedizioni.it
www.almaedizioni.it

Indice

Indice dei contenuti

Introduzione

Cos'è "Bar Italia"

"Bar Italia" è un testo di lingua italiana per stranieri che presenta una serie di articoli sulla vita, la società, la mentalità e le abitudini italiane.
Gli articoli, ognuno su un argomento specifico (le case degli italiani, la superstizione, la moda del telefonino, il mammismo, il rito del caffè, il fenomeno della raccomandazione, ecc.) sono tratti dalla stampa quotidiana e periodica e sono distribuiti in 22 unità didattiche di difficoltà progressiva: livello **elementare** *, **intermedio** **, **intermedio-avanzato** ***, **avanzato** ****.
Ogni unità comprende numerose attività didattiche che mirano a sviluppare la capacità di **leggere**, **parlare** e **scrivere** in italiano. Oltre alle attività per la classe, di tipo comunicativo, ludico e interattivo, sono presenti molti esercizi di revisione della morfologia, della sintassi e del lessico, che possono essere svolti anche in autoapprendimento (il testo è fornito di chiavi).

Come sono strutturate le unità

All'inizio dell'unità, per ogni articolo viene proposta una strategia di motivazione alla lettura (*Introduzione alla lettura*), che permette di avvicinarsi al testo in modo leggero e stimolante. In una seconda fase avviene la lettura del testo vero e proprio, nella quale vengono verificate le ipotesi formulate nella fase di motivazione e si presenta spesso un nuovo problema o enigma da risolvere (*Lettura con problema*), con l'obiettivo di mantenere alta l'attenzione del lettore. Successivamente vengono proposte varie attività di ritorno al testo (*Comprensione*; *Analisi del testo: lessico; Analisi del testo: grammatica*) che consentono di approfondire la comprensione dell'articolo sia dal punto di vista dei significati che delle forme. Alle attività analitiche si alternano attività di produzione orale e scritta (*Produzione orale*; *Produzione scritta*) e giochi (*Gioco*). Alla fine dell'unità vengono poi proposti degli esercizi di ripasso (*Ripassiamo*), con l'obiettivo di fissare gli aspetti morfologici, sintattici e lessicali precedentemente analizzati.

Conclusione

La struttura del libro non è vincolante, pertanto ogni volta l'insegnante potrà scegliere se svolgere tutte o solo una parte delle attività proposte per ogni articolo, senza che questo comprometta la riuscita della lezione.
Tutte le attività sono facilmente comprensibili dalle istruzioni fornite nelle unità, per cui non si è ritenuto necessario includere nel volume una guida per l'insegnante.
Quanto all'impostazione metodologica generale, basterà dire che nella stesura del libro si è cercato di ideare strategie che favorissero una sempre maggiore autonomia dello studente - considerato protagonista attivo del processo di apprendimento - e che presupponessero la figura di un insegnante facilitatore il quale, per usare una frase del compositore Ivano Fossati, dovrebbe farsi *invisibile come ogni buon maestro che si fa invisibile.*
Infine gli articoli. La scelta è caduta su testi di breve e media lunghezza; attuali ma allo stesso tempo "a lunga conservazione" perché non troppo cronachistici; giudicati potenzialmente interessanti per un pubblico straniero perché in grado di disegnare un quadro realistico e non convenzionale della società italiana.

Gli autori

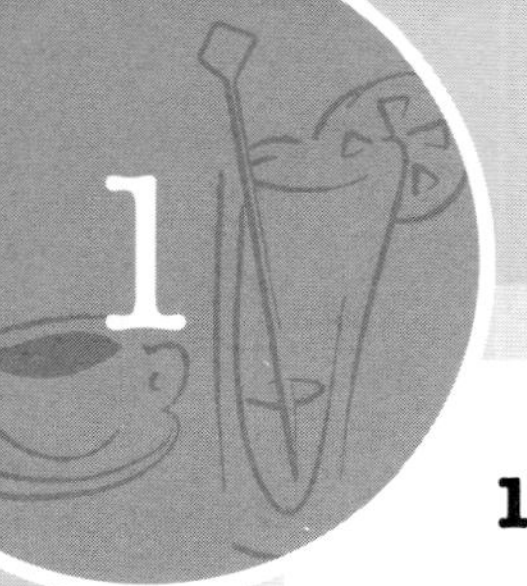

Luoghi comuni

1. Introduzione alla lettura

A coppie o in piccoli gruppi trovate uno o più aggettivi che, secondo la vostra opinione, meglio definiscono gli italiani. Aiutatevi con questa lista.

simpatico / antipatico

divertente / noioso

ordinato / disordinato

attivo / pigro

elegante / trasandato

socievole / chiuso

2. Lettura

Leggi le 3 barzellette.

a. Paradiso e Inferno

"Il Paradiso è il posto dove l'inglese fa il poliziotto, il tedesco il meccanico, il francese il cuoco, l'italiano l'amante e lo svizzero amministra tutto. All'inferno, invece, gli inglesi fanno i cuochi, i tedeschi sono poliziotti, i francesi meccanici, gli svizzeri amatori e gli italiani… amministrano!"

b. Alle cascate

Dieci italiani visitano le cascate del Niagara. A un certo punto la guida dice: "E adesso, se fate un po' di silenzio, potete anche sentire il rumore!"

c. Che fatica lavorare!!!

Questo è il dialogo tra Kurt, tedesco, e Mario, italiano.
"Ciao Mario, come stai?" "Male, Kurt. Molto male."
"Perché? Hai problemi con la tua ragazza?"
"No, ho problemi con il lavoro. Tutte le mattine mi devo alzare alle cinque, prendere l'autobus, arrivare in ufficio, rispondere al telefono e scrivere con il computer per otto ore al giorno."
"E da quanto tempo fai questa vita?" "Da lunedì prossimo."

3. Comprensione

Le barzellette che hai letto mettono in evidenza alcuni luoghi comuni sugli italiani. Qui sotto trovi una lista di aggettivi. Segna quelli che, secondo te, corrispondono all'immagine degli italiani proposta dalle barzellette (attenzione: non tutti gli aggettivi sono appropriati).

definizione	barzelletta (a, b, c)
❍ *chiacchieroni*	______
❍ *lavoratori*	______
❍ *fantasiosi*	______
❍ *ordinati*	______
❍ *confusionari*	______
❍ *divertenti*	______
❍ *orgogliosi*	______
❍ *pigri*	______
❍ *silenziosi*	______
❍ *passionali*	______
❍ *generosi*	______
❍ *freddi*	______

Hai scelto? Ora confrontati con un compagno.

4. Produzione

Quali sono i luoghi comuni per cui i tuoi connazionali sono conosciuti all'estero? E quali luoghi comuni sugli altri popoli sono più diffusi nel tuo Paese? Fai due liste e poi confrontati con uno o più compagni.

5. Analisi del testo: grammatica

a) Trova tutti gli articoli determinativi nelle tre barzellette e scrivili al posto giusto nelle tabelle insieme al nome corrispondente, come nell'esempio.

maschile singolare	maschile plurale
il Paradiso	

femminile singolare	femminile plurale

6. Esercizio su articoli e nomi

a) Completa le due colonne del maschile con il singolare o il plurale degli articoli e dei nomi mancanti.

maschile singolare	maschile plurale
l'italiano	
	gli inglesi
lo svizzero	
il tedesco	
il francese	
	gli americani
lo spagnolo	
il giapponese	

femminile singolare	femminile plurale

b) Ora trasforma gli articoli e i nomi dal maschile al femminile e completa le ultime due colonne.

7. Produzione orale

Conosci qualche barzelletta? Prova a raccontarne una.

8. Ripassiamo

a) Completa le 3 barzellette con gli articoli determinativi.

Paradiso e Inferno

"Il Paradiso è il posto dove _____ inglese fa _____ poliziotto, _____ tedesco _____ meccanico, _____ francese _____ cuoco, _____ italiano _____ amante e _____ svizzero amministra tutto.
All'inferno, invece, _____ inglesi fanno _____ cuochi, _____ tedeschi sono poliziotti, _____ francesi meccanici, _____ svizzeri amatori e _____ italiani… amministrano!"

Alle cascate

Dieci italiani visitano _____ cascate del Niagara. A un certo punto _____ guida dice:
"E adesso, se fate un po' di silenzio, potete anche sentire _____ rumore!"

Che fatica lavorare!!!

Questo è _____ dialogo tra Kurt, tedesco, e Mario, italiano.
"Ciao Mario, come stai?"
"Male, Kurt. Molto male."
"Perché? Hai problemi con _____ tua ragazza?"
"No, ho problemi con _____ lavoro. Tutte _____ mattine mi devo alzare alle cinque, prendere _____ autobus, arrivare in ufficio, rispondere al telefono e scrivere con _____ computer per otto ore al giorno."
"E da quanto tempo fai questa vita?"
"Da lunedì prossimo."

b) Completa le 3 barzellette con i verbi al presente indicativo (sono in ordine).

1. essere – 2. fare – 3. amministrare – 4. fare – 5. essere – 6. amministrare

Paradiso e Inferno

"Il Paradiso 1.______________ il posto dove l'inglese 2.______________
il poliziotto, il tedesco il meccanico, il francese il cuoco, l'italiano l'amante
e lo svizzero 3.__________________________ tutto.
All'inferno, invece, gli inglesi 4.______________ i cuochi, i tedeschi
5.______________ poliziotti, i francesi meccanici, gli svizzeri amatori
e gli italiani… 6.__________________________!"

1. visitare – 2. dire – 3. fare – 4. potere

Alle cascate

Dieci italiani 1.______________ le cascate del Niagara. A un certo punto la
guida 2.______________:
"E adesso, se 3.______________ un po' di silenzio, 4.______________ anche
sentire il rumore!"

1. essere – 2. stare – 3. avere – 4. avere – 5. dovere – 6. fare

Che fatica lavorare!!!

Questo 1.______________ il dialogo tra Kurt, tedesco, e Mario, italiano.
"Ciao Mario, come 2.______________?"
"Male, Kurt. Molto male."
"Perché? 3.______________ problemi con la tua ragazza?"
"No, 4.______________ problemi con il lavoro. Tutte le mattine mi
5.______________ alzare alle cinque, prendere l'autobus, arrivare in ufficio,
rispondere al telefono e scrivere con il computer per otto ore al giorno."
"E da quanto tempo 6.______________ questa vita?"
"Da lunedì prossimo."

9. Produzione scritta

Senza guardare il testo, riscrivi le tre barzellette sugli italiani.

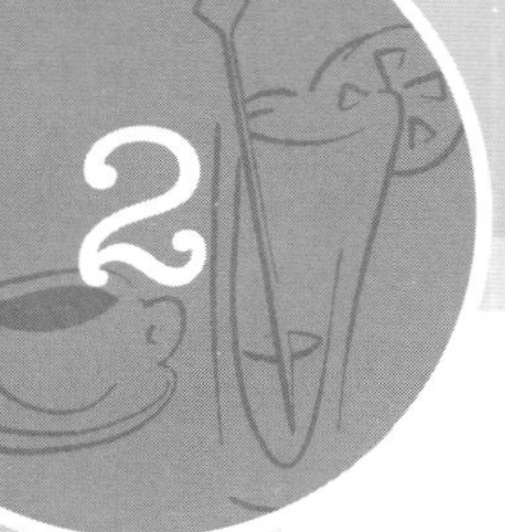

Meglio soli...
...che male accompagnati

1. Introduzione alla lettura

Fai una lista dei vantaggi e degli svantaggi del vivere da soli. Poi confrontati con un compagno.

vantaggi	svantaggi

2. Lettura con problema

a) Qui sotto hai le dichiarazioni di due persone che vivono da sole. Leggi i testi e cerca di capire se sono soddisfatti o no della loro vita da single.

Alessandra

Alessandra ha 49 anni. Vive da sola in una casa grande e bella.

"Che devo dire? Non posso lamentarmi. Ho una bella casa, un bel lavoro, una vita piena. Faccio la PR (pubbliche relazioni). Mi occupo di musica, di cultura. Passo giornate interessanti, piacevoli. Ma quando arriva la notte mi sento distrutta. Mi metto nel letto, allungo un braccio e trovo il vuoto, un tristissimo vuoto.

Io non sono una single convinta. Anzi. Mi piacerebbe molto trovare un uomo. Ma ad un certo punto della vita sembra impossibile: nessuno vuole stare con te, tu non vuoi stare con nessuno. È tutto più difficile.

È vero, la sera esco spesso, ma quasi sempre sono serate di lavoro. Così le mie migliori serate sono quelle che passo con i miei nipoti, sono loro la mia felicità."

Alessandro

Alessandro ha 35 anni. Vive da solo a Roma, dove lavora come manager in una ditta di marketing sportivo.

"Sono single. Al mattino mi sveglio, faccio colazione, poi vado a correre. Lavoro in ufficio o, spesso, fuori. Il pranzo è veloce. La cena è rilassata e piacevole. Ma prima della cena c'è di nuovo un po' di sport: vado in palestra. Questo tipo di vita è l'ideale per il mio lavoro, il mio carattere, il mio modo di pensare. Mi sento libero. Però non voglio rimanere single per sempre. Penso semplicemente che è molto meglio rimanere da soli piuttosto che avere un rapporto mediocre.

Quando diventi grande sai bene come deve essere la tua donna, ma non è facile trovare la persona giusta.

Io non ho fretta. Due persone che si incontrano dopo i trentacinque anni possono vivere un rapporto di coppia più intelligente, più intenso. Non invidio quasi nessuno dei miei amici che sono sposati da anni e che hanno anche dei figli. Vedo che nella loro vita di coppia ci sono molti compromessi, tante incomprensioni, anche i tradimenti. Questo non mi piace."

(dal "Corriere della Sera")

Alessandra:
è soddisfatta della sua vita da single?

sì ❍ no ❍

Alessandro:
è soddisfatto della sua vita da single?

sì ❍ no ❍

b) Ora confrontati con un compagno e motiva le tue risposte.

3. Produzione scritta

A coppie immaginate un dialogo tra Alessandra e Alessandro.

4. Analisi del testo: grammatica

a) Trova per ogni infinito i corrispondenti verbi al presente indicativo nei due testi e scrivili sotto la persona giusta nella tabella, come nell'esempio.

	io	tu	lui/lei	noi	voi	loro
andare						
avere			*ha*			
dovere						
essere						
fare						
potere						
sapere						
uscire						
volere						

b) Osserva questa frase:

Che devo dire?

Come puoi vedere, ci sono due verbi: "devo" (presente indicativo) + "dire" (infinito). Nei due testi ci sono altre frasi costruite come questa. Trovale e scrivile qui sotto.

1. Che devo dire?
2. ____________________
3. ____________________
4. ____________________
5. ____________________
6. ____________________
7. ____________________
8. ____________________

5. Esercizio sui verbi modali

Forma delle frasi come nell'esempio, indicando che cosa può/non può fare, che cosa vuole/non vuole fare e che cosa deve/non deve fare un single. Puoi utilizzare la lista qui sotto o aggiungere anche altre idee.

1. sposarsi ______ *Non vuole sposarsi* ______
2. uscire tutte le sere con gli amici ____________
3. cucinare e mangiare da solo ____________
4. tornare a casa tardi senza avvisare nessuno ____________
5. fare la spesa ____________
6. avere un partner stabile ____________
7. essere disordinato ____________
8. avere tante relazioni ____________

6. Produzione orale

L'insegnante ti assegnerà uno dei due ruoli. Leggi solo le istruzioni che ti riguardano e poi lavora con uno studente che ha un ruolo diverso dal tuo.

studente A

Sei nella tua agenzia matrimoniale. Arriva un/una cliente. Cerca di capire che tipo di persona è, quali sono le sue preferenze, le sue richieste e perché si è rivolto/a ad un'agenzia.

studente B

Sei stanco/a della vita da single. Decidi di rivolgerti a un'agenzia matrimoniale. Spiega come deve essere la persona che vuoi incontrare.

7. Analisi del testo: grammatica

a) Osserva questa frase:

Mi occupo di musica, di cultura.

"Mi occupo" è un verbo riflessivo (inf. occuparsi). Nei due testi ci sono altri verbi riflessivi come questo. Sai trovarli?

b) Completa la coniugazione dell'indicativo presente del verbo "occuparsi".

si ~~mi~~

ci ti

vi si

	occuparsi	
io	*mi*	*occupo*
tu		
lui/lei		
noi		
voi		
loro		

occupiamo occupa

occupano ~~occupo~~

occupate occupi

8. Ripassiamo

Metti i verbi al presente indicativo.

Alessandra

Alessandra *(avere)* _________ 49 anni. Vive da sola in una casa grande e bella.

"Che *(dovere)* _________ dire? Non *(potere)*_________ lamentarmi. *(Avere)* _________ una bella casa, un bel lavoro, una vita piena. *(Fare)* _________ la PR (pubbliche relazioni). *(Occuparsi)* ________________________ di musica, di cultura. Passo giornate interessanti, piacevoli. Ma quando arriva la notte *(sentirsi)* ____________________ distrutta. *(Mettersi)* ______________________ nel letto, allungo un braccio e trovo il vuoto, un tristissimo vuoto. Io non *(essere)* _________ una single convinta. Anzi. Mi piacerebbe molto trovare un uomo. Ma ad un certo punto della vita sembra impossibile: nessuno *(volere)* _________ stare con te, tu non *(volere)* _________ stare con nessuno. *(Essere)* _________ tutto più difficile. *(Essere)* _________ vero, la sera *(uscire)* _________ spesso, ma quasi sempre *(essere)* _________ serate di lavoro. Così le mie migliori serate *(essere)* _________ quelle che passo con i miei nipoti, *(essere)* _________ loro la mia felicità."

Alessandro

Alessandro *(avere)* _________ 35 anni.
Vive da solo a Roma, dove lavora come manager in una ditta di marketing sportivo.

"*(Essere)* _________ single. Al mattino *(svegliarsi)* ____________________, *(fare)* _________ colazione, poi *(andare)* _________ a correre. Lavoro in ufficio o, spesso, fuori.
Il pranzo *(essere)* _________ veloce. La cena *(essere)* _________ rilassata e piacevole.
Ma prima della cena c'è di nuovo un po' di sport: *(andare)* _________ in palestra.
Questo tipo di vita *(essere)* _________ l'ideale per il mio lavoro, il mio carattere, il mio modo di pensare. *(Sentirsi)* ____________________ libero. Però non *(volere)* _________ rimanere single per sempre. Penso semplicemente che *(essere)* _________ molto meglio rimanere da soli piuttosto che avere un rapporto mediocre.
Quando diventi grande *(sapere)* _________ bene come *(dovere)* _________ essere la tua donna, ma non *(essere)* _________ facile trovare la persona giusta.
Io non *(avere)* _________ fretta. Due persone che *(incontrarsi)* __________________ dopo i trentacinque anni *(potere)* _________ vivere un rapporto di coppia più intelligente, più intenso. Non invidio quasi nessuno dei miei amici che *(essere)* ____________ sposati da anni e che *(avere)* _________ anche dei figli. Vedo che nella loro vita di coppia ci sono molti compromessi, tante incomprensioni, anche i tradimenti. Questo non mi piace."

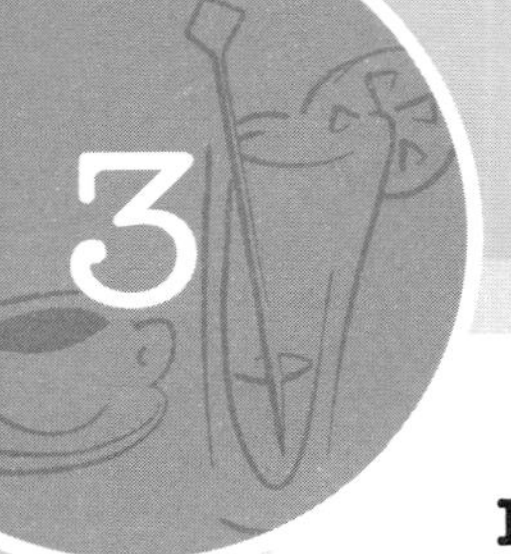

Casa dolce casa

1. Introduzione alla lettura

Formate delle coppie, sedendovi schiena contro schiena, in modo da non guardarvi. A turno, uno dei due descrive il suo appartamento (spazi e arredamento) e l'altro lo disegna seguendo le indicazioni.

2. Lettura

Leggi l'articolo.

Così abita l'Italia

Come sono le case vere degli italiani? Non quelle degli architetti, della pubblicità, dei telefilm. Non quelle dei cataloghi di arredamento, delle riviste specializzate.

Parliamo del teatrino domestico di tutti i giorni, stanze spesso piene di oggetti disordinati, dentro alle quali viviamo, mangiamo, dormiamo, ci laviamo, lavoriamo. Per scoprirlo due ricercatrici milanesi hanno condotto una ricerca curiosa, sono andate in giro nelle case a fotografare soggiorni, cucine, bagni, camere da letto. Così come sono veramente. Un viaggio dentro al gusto e al cattivo gusto, tra tradizione contadina e hi-tech. Un documento verità di grande interesse per sociologi e antropologi che vogliano esercitarsi nell'analisi di come cambia il modo di vivere degli italiani.

Le migliaia di fotografie possono essere raggruppate, secondo le ricercatrici, in cinque tipologie dominanti.

La prima è quella dei trentenni sposati. Appartamenti meno ricchi, dove è centrale la cucina, il primo spazio intorno al quale si concentra abitualmente la vita della nuova coppia. Nelle abitazioni dei quarantenni-cinquantenni domina invece il soggiorno, come luogo di rappresentanza. Di tutti gli ambienti della casa quest'ultimo è quello maggiormente privo di identità e di calore: divani per ricevere, ma spesso non usati, coperti di cellofan perché non si sporchino. E mobili molto kitsch. Più interessanti le case dei sessanta-settantenni. In queste abitazioni le ricercatrici hanno trovato molti pezzi di arredamento notevoli, che i proprietari consideravano di poco valore. Una tipologia a parte, comune a tutte le classi sociali, è la camera dei ragazzi. Stanze cariche di oggetti, spesso inutili, della società dei consumi. Poster alle pareti. Fotografie dappertutto, computer e naturalmente televisore. Nelle case dei single, invece, vince l'arredamento libero. Di tutto un po'. Mentre diventa centrale la camera da letto, come luogo in cui soggiornare, telefonare, ascoltare musica. Tutto in posizione orizzontale.

(da "la Repubblica")

3. Comprensione

Riporta brevemente nella tabella i risultati della ricerca sulle case degli italiani.

tipologie dominanti	caratteristiche generali
1.	
2.	
3.	
4.	
5.	

4. Produzione orale

In quale delle cinque tipologie descritte nell'articolo ti riconosci? Perché? Pensi di appartenere a una tipologia diversa? Sai descriverla? Parlane con un compagno.

5. Analisi del testo: lessico

a) Nell'articolo ci sono 2 parole che hanno lo stesso significato della parola "case". Quali sono?

case = 1.____________________ 2.____________________

b) Nell'articolo, oltre alla parola "stanze" (riga 4), ci sono altri cinque termini più specifici che si riferiscono ai diversi ambienti di una casa. Quali sono?

1.____________________ 2.____________________ 3.____________________

4.____________________ 5.____________________

6. Gioco

Formate delle squadre. Ricopiate nella tabella i nomi degli ambienti che avete trovato nell'attività precedente. Avete 10 minuti di tempo per scrivere il maggior numero di oggetti/mobili che è possibile trovare in questi spazi della casa. Vince la squadra che ne trova di più.

ambiente n. 1: ____________	**ambiente n. 2:** ____________	**ambiente n. 3:** ____________	**ambiente n. 4:** ____________	**ambiente n. 5:** ____________

7. Analisi del testo: grammatica

a) Per ogni nome della colonna 2 scrivi nella colonna 3 l'aggettivo corrispondente nel testo, come nell'esempio.

1 riga	2 nome	3 aggettivo	4 singolare/plurale del nome	5 singolare/plurale dell'aggettivo
1	case	*vere*		
2	riviste			
4	teatrino			
4-5	oggetti			
6	ricercatrici			
6	ricerca			
9	tradizione			
13	tipologie			
23	classi			
23	stanze			
25	arredamento			
27	posizione			

b) Ora per ogni coppia di nomi e aggettivi scrivi nelle colonne 4 e 5 il corrispondente plurale o singolare.

Es.: case vere (plurale) ➤ casa vera (singolare)

8. Lettura con problema

Completa l'intervista allo storico inglese Paul Ginsborg inserendo le domande nell'ordine giusto.

Le domande

n°__ Quali sono invece gli elementi di continuità con il passato?

n°__ Professor Ginsborg, qual è la sua prima impressione guardando queste immagini?

n°__ Quali differenze ci sono tra le case degli italiani e quelle dei suoi connazionali?

n°__ Ci sono molti vuoti nei soggiorni. Pochi libri. Pochi quadri. Che ne pensa?

L'intervista

Lo storico inglese Paul Ginsborg commenta la ricerca sulle case degli italiani. E si diverte ad analizzare i cambiamenti socioeconomici del nostro Paese, attraverso lo studio delle immagini degli interni domestici.

1)____

"Che differenza con la realtà di appena quarant'anni fa! Osservando le centinaia di fotografie che illustrano la ricerca sulla casa degli italiani, la prima cosa che mi colpisce è la grande ricchezza delle abitazioni. Gli interni sono confortevoli, spaziosi, con cucine ben attrezzate.
Lo sviluppo italiano è stato incredibilmente veloce negli ultimi decenni. Non dimentichiamo che fino a 40 anni fa appena il 2% delle famiglie contadine italiane aveva una lavatrice. Contro il 30% di quelle francesi."

2)____

"Mi sembra che nonostante il rapido sviluppo realizzato, l'Italia conservi ancora un fortissimo rapporto con la campagna, che si traduce in tanti arredamenti dal sapore rustico, con caminetti, grande uso del legno e piccoli dettagli che svelano una nostalgia del passato."

3)____

"È vero. Sembra che le pareti spoglie siano spesso motivo di imbarazzo. Non si sa bene come riempirle, cosa appendere al muro. Ma credo che questo sia proprio l'effetto di uno sviluppo tanto rapido."

4)____

"Mi hanno sempre colpito l'ordine e la pulizia straordinari che regnano nelle case italiane. In Gran Bretagna gli appartamenti sono molto più disordinati."

(da "la Repubblica")

9. Comprensione

a) Come sono le case italiane secondo Paul Ginsborg? Riassumi con 4 aggettivi il pensiero dello storico inglese. Poi confronta la tua lista con quella di un compagno e insieme fate una lista comune.

la mia lista	**la lista comune**
Secondo Paul Ginsborg le case italiane sono:	Secondo Paul Ginsborg le case italiane sono:
a.	**a.**
b.	**b.**
c.	**c.**
d.	**d.**

10. Produzione orale

L'insegnante ti assegnerà uno dei due ruoli. Leggi solo le istruzioni che ti riguardano e poi lavora con uno studente che ha un ruolo diverso dal tuo.

studente A	**studente B**
Sei un giornalista. Devi intervistare un importante sociologo che ha scritto un libro sulle case in________________.* Hai 10 minuti di tempo per prepararti. Poi comincia l'intervista.	Sei un importante sociologo che ha scritto un libro sulle case nel tuo Paese. Sarai intervistato da un giornalista. Hai 10 minuti di tempo per prepararti a rispondere sull'argomento. Poi comincia l'intervista.

**nota per l'insegnante: se la classe è formata da studenti della stessa nazionalità, va inserito il nome del Paese di comune appartenenza; altrimenti, in caso di classe mista, lo studente A dovrà inserire il nome del Paese dello studente intervistato (studente B).*

11. Ripassiamo

a) Inserisci al posto giusto nel testo gli aggettivi concordandoli con il sostantivo a cui si riferiscono (gli aggettivi sono in disordine).

contadino - curioso – disordinato - dominante - milanese - specializzato - vero

Come sono le case ______________ degli italiani? Non quelle degli architetti, della pubblicità, dei telefilm. Non quelle dei cataloghi di arredamento, delle riviste ______________. Parliamo del teatrino domestico di tutti i giorni, stanze spesso piene di oggetti ______________, dentro alle quali viviamo, mangiamo, dormiamo, ci laviamo, lavoriamo. Per scoprirlo due ricercatrici ______________ hanno condotto una ricerca ______________, sono andate in giro nelle case a fotografare soggiorni, cucine, bagni, camere da letto. Così come sono veramente. Un viaggio dentro al gusto e al cattivo gusto, tra tradizione ______________ e hi-tech. Un documento verità di grande interesse per sociologi e antropologi che vogliano esercitarsi nell'analisi di come cambia il modo di vivere degli italiani. Le migliaia di fotografie possono essere raggruppate, secondo le ricercatrici, in cinque tipologie ______________.

b) Inserisci nel testo gli aggettivi concordandoli con il sostantivo a cui si riferiscono (gli aggettivi sono in ordine).

1. primo – 2. confortevole – 3. spazioso – 4. attrezzato – 5. italiano
6. italiano – 7. rapido – 8. rustico – 9. piccolo – 10. spoglio
11. straordinario - 12. disordinato

Lo storico inglese Paul Ginsborg commenta la ricerca sulle case degli italiani. E si diverte ad analizzare i cambiamenti socioeconomici del nostro Paese, attraverso lo studio delle immagini degli interni domestici.

Professor Ginsborg, qual è la sua prima impressione guardando queste immagini?

"Che differenza con la realtà di appena quarant'anni fa! Osservando le centinaia di fotografie che illustrano la ricerca sulla casa degli italiani, la 1.________________ cosa che mi colpisce è la grande ricchezza delle abitazioni. Gli interni sono 2.________________, 3.________________, con cucine ben 4.________________. Lo sviluppo 5.________________ è stato incredibilmente veloce negli ultimi decenni. Non dimentichiamo che fino a 40 anni fa appena il 2% delle famiglie contadine 6.________________ aveva una lavatrice. Contro il 30% di quelle francesi."

Quali sono invece gli elementi di continuità con il passato?

"Mi sembra che nonostante il 7.________________ sviluppo realizzato, l'Italia conservi ancora un fortissimo rapporto con la campagna, che si traduce in tanti arredamenti dal sapore 8.________________, con caminetti, grande uso del legno e 9.________________ dettagli che svelano una nostalgia del passato."

Ci sono molti vuoti nei soggiorni. Pochi libri. Pochi quadri. Che ne pensa?

"È vero. Sembra che le pareti 10.________________ siano spesso motivo di imbarazzo. Non si sa bene come riempirle, cosa appendere al muro. Ma credo che questo sia proprio l'effetto di uno sviluppo tanto rapido."

Quali differenze ci sono tra le case degli italiani e quelle dei suoi connazionali?

"Mi hanno sempre colpito l'ordine e la pulizia 11.________________ che regnano nelle case italiane. In Gran Bretagna gli appartamenti sono molto più 12.________________."

c) Scegli il verbo giusto e coniugalo al presente indicativo.

Come *(essere/avere)* _______________ le case vere degli italiani? Non quelle degli architetti, della pubblicità, dei telefilm. Non quelle dei cataloghi di arredamento, delle riviste specializzate. Parliamo del teatrino domestico di tutti i giorni, stanze spesso piene di oggetti disordinati, dentro alle quali viviamo, mangiamo, dormiamo, *(lavarsi/potere)* _______________, lavoriamo.
Per scoprirlo due ricercatrici milanesi hanno condotto una ricerca curiosa, sono andate in giro nelle case a fotografare soggiorni, cucine, bagni, camere da letto. Così come *(essere/avere)* _________________ veramente. Un viaggio dentro al gusto e al cattivo gusto, tra tradizione contadina e hi-tech. Un documento verità di grande interesse per sociologi e antropologi che vogliano esercitarsi nell'analisi di come *(vivere/cambiare)* _______________ il modo di vivere degli italiani.
Le migliaia di fotografie *(fare/potere)* _______________ essere raggruppate, secondo le ricercatrici, in cinque tipologie dominanti. La prima è quella dei trentenni sposati. Appartamenti meno ricchi, dove è centrale la cucina, il primo spazio intorno al quale *(concentrarsi/volere)* _______________ abitualmente la vita della nuova coppia. Nelle abitazioni dei quarantenni-cinquantenni domina invece il soggiorno, come luogo di rappresentanza. Di tutti gli ambienti della casa quest'ultimo è quello maggiormente privo di identità e di calore: divani per ricevere, ma spesso non usati, coperti di cellofan perché non si sporchino. E mobili molto kitsch. Più interessanti le case dei sessanta-settantenni. In queste abitazioni le ricercatrici hanno trovato molti pezzi di arredamento notevoli, che i proprietari consideravano di poco valore. Una tipologia a parte, comune a tutte le classi sociali, è la camera dei ragazzi. Stanze cariche di oggetti, spesso inutili, della società dei consumi. Poster alle pareti. Fotografie dappertutto, computer e naturalmente televisore. Nelle case dei single, invece, *(vincere/dire)* _______________ l'arredamento libero. Di tutto un po'. Mentre *(dormire/diventare)* _______________ centrale la camera da letto, come luogo in cui soggiornare, telefonare, ascoltare musica. Tutto in posizione orizzontale.

12. Produzione scritta

Qual è la tua casa ideale? Indica tipologia (appartamento, attico, villa ecc.), ambienti (grandezza, luminosità, ecc.), arredamento (antico, moderno, ecc.).

Non è vero ma ci credo!

1. Introduzione alla lettura

Fai il test, leggi i risultati e scopri se sei superstizioso/a. Poi confronta le tue risposte con quelle di un compagno.

Test - Sei superstizioso/a?

	sì	no
a) Hai un oggetto "portafortuna" che porti sempre con te?	❍	❍
b) Hai un numero, un giorno o un colore "fortunato"?	❍	❍
c) Hai un numero, un giorno o un colore "sfortunato"?	❍	❍
d) Prima di un esame o di un avvenimento importante, fai qualcosa di particolare per attirare la fortuna?	❍	❍
e) C'è qualcosa che non fai mai perché "porta sfortuna?"	❍	❍
f) Sei mai andato/a da qualcuno (una maga, una cartomante, ecc.) per chiedere di avere fortuna o per conoscere il tuo futuro?	❍	❍
g) Leggi spesso il tuo oroscopo prima di cominciare la giornata?	❍	❍
h) Credi nei sogni premonitori*?	❍	❍

**sogni premonitori: sogni che riguardano il futuro*

Risultati

0 sì: non sei superstizioso/a
da 1 a 2 sì: sei superstizioso/a ma solo un po'
da 3 a 4 sì: sei abbastanza superstizioso/a
da 5 a 8 sì: sei molto superstizioso/a

2. Lettura con problema

a) Cinque famosi personaggi italiani parlano dei loro "portafortuna". Leggi i testi.

Personaggio n. 1: Giancarlo Soldi (regista)

Alcuni anni fa ero nel deserto del Sahara per girare un documentario. Una sera è arrivato al nostro accampamento uno sciamano tuareg che ci ha detto: "Domani mattina dovete venire a casa mia per riparare un'offesa che mi hanno fatto gli uomini occidentali. Un anno fa, alcuni turisti sono venuti qui e hanno fotografato mia moglie. Hanno fatto molte foto. Poi le hanno usate per realizzare delle cartoline. Su tutte c'è l'immagine di mia moglie, ma l'hanno chiamata con un altro nome!"
Per calmarlo, abbiamo girato lì alcune scene del documentario e il tuareg mi ha dato una collana portafortuna. Da quel momento l'ho sempre portata con me. Mi dà un'energia positiva.

Personaggio n. 2: ___________________________

Prima di morire mia nonna mi ha lasciato un anello di poco valore. Un oggettino molto rovinato, che io riparavo continuamente. Con il premio della mia prima gara ho deciso di rifare l'anello e ne ho fatto il portafortuna della mia vita. Durante gli spettacoli lo tolgo, ma solo dopo averlo nascosto in posti dove nessuno può rubarmelo. Ero molto affezionata a mia nonna e in questo modo mi sembra di sentirla ancora vicino a me.

Personaggio n. 3: ___________________________

La compagna della mia vita è l'agendina. È la prima cosa che metto in borsa quando esco e la prima che metto sul tavolo quando rientro a casa. Non me ne separo mai, è come un'altra parte di me. Non ci sono solo numeri di telefono, ma anche appunti, pensieri e idee da usare per nuove storie. Mi è successo di perderla solo una volta: non trovavo più la borsa, dove c'erano soldi e documenti. Ma io pensavo solo all'agendina. Per un momento mi sono sentita orfana: poi, per fortuna, l'ho ritrovata. Alla fine ho scoperto che era solo lo scherzo di un'amica.

Personaggio n. 4: ___________________________

Ho una collana di corallo che metto soltanto per importanti occasioni professionali o in momenti difficili della mia vita privata. È un oggetto che mi fa sentire bene: il corallo non è una pietra morta ed è questa proprietà che probabilmente è capace di trasmettermi una grande energia positiva. Ma non è finita qui. In tasca, o più spesso nel portafoglio, porto con me anche quattro foglietti con dei disegnini che mi ha fatto mia figlia molto tempo fa, in un periodo molto triste della mia vita. Anche questi piccoli biglietti hanno su di me un effetto benefico. Credo molto nel potere degli oggetti e affido loro la mia fortuna.

Personaggio n. 5: ___________________________

Ho scelto come mio portafortuna un cappuccio. Prima di tutto per ragioni pratiche: io abito al nord, dove piove molto spesso, e in più viaggio molto per lavoro, tra un set cinematografico e l'altro. Così porto sempre con me il mio montgomery: ha un largo cappuccio, comodissimo in caso di neve e pioggia e, soprattutto è diventato una specie di protezione contro la negatività. Sapere di avere il cappuccio a portata di mano mi fa sentire al sicuro ed è ormai un'abitudine a cui difficilmente rinuncerei.

(da "Io donna - suppl. del Corriere della sera")

b) Ora scrivi nei testi 2-3-4-5 il nome e la professione del personaggio corrispondente. Scegli in questa lista:

Patrizia Scarselli (architetto)

Maurizio Nichetti (regista)

Giulia Staccioli (campionessa di ginnastica ritmica e danzatrice)

Carmen Covito (scrittrice)

3. Comprensione

Rileggi i testi e trova per ogni personaggio il portafortuna corrispondente. Dove è possibile, scrivi anche perché quell'oggetto è stato scelto come portafortuna.

personaggio	portafortuna	perché
1. *Giancarlo Soldi*		
2.		
3.		
4.		
5.		

4. Analisi del testo: grammatica

a) Sottolinea nei cinque testi tutti i verbi coniugati al passato prossimo.

b) Ora scrivi nelle due tabelle della pagina a fianco i verbi al passato prossimo che hai sottolineato, mettendo nella prima tabella i verbi con ausiliare "avere" e nella seconda tabella i verbi con ausiliare "essere", come negli esempi. Per ogni verbo scrivi anche il soggetto e l'ultima lettera del participio passato.

passato prossimo con *avere*

passato prossimo	soggetto della frase	ultima lettera del participio passato
ci ha detto	*uno sciamano tuareg*	*-o*

passato prossimo con *essere*

passato prossimo	soggetto della frase	ultima lettera del participio passato
è arrivato	*uno sciamano tuareg*	*-o*

c) Osserva l'ultima lettera del participio passato nei verbi che hai trovato. Perché non è sempre uguale? Da cosa dipende? Parlane con un compagno.

5. Produzione orale

Formate due gruppi, uno favorevole alla superstizione e l'altro contrario. Dovete prepararvi a partecipare a un dibattito su questo argomento sostenendo la vostra tesi. Prima di iniziare il dibattito, all'interno di ogni gruppo trovate tutti gli argomenti a sostegno della vostra tesi in modo da essere pronti a fronteggiare qualsiasi tipo di obiezione dall'altra parte. Poi dividetevi in coppie (un rappresentante del gruppo favorevole e uno del gruppo contrario), e iniziate il dibattito.

6. Ripassiamo

a) Metti i verbi al passato prossimo (sono in ordine).

1. arrivare – 2. dire – 3. fare – 4. venire – 5. fotografare – 6. fare – 7. usare 8. – chiamare – 9. girare – 10. dare – 11. portare

Giancarlo Soldi (regista)

Alcuni anni fa ero nel deserto del Sahara per girare un documentario. Una sera 1.____________________ al nostro accampamento uno sciamano tuareg che ci 2.____________________: "Domani mattina dovete venire a casa mia per riparare un'offesa che mi 3.____________________ gli uomini occidentali. Un anno fa, alcuni turisti 4.____________________ qui e 5.____________________ mia moglie. 6.____________________ molte foto. Poi le 7.____________________ per realizzare delle cartoline. Su tutte c'è l'immagine di mia moglie, ma l' 8.__________ ________________ con un altro nome!"
Per calmarlo, 9.____________________ lì alcune scene del documentario e il tuareg mi 10.____________________ una collana portafortuna. Da quel momento l' 11.__________ sempre __________ con me. Mi dà un'energia positiva.

b) Completa il testo inserendo nell'ordine giusto le parole in disordine.

testo	parole in disordine
Giulia Staccioli (campionessa di ginnastica ritmica e danzatrice) Prima di____________________ ____________________valore.	**un anello - ha - mi - mia nonna - morire – di poco - lasciato**
Un oggettino molto rovinato, che io riparavo continuamente. Con il premio della mia prima gara ho deciso di rifare l'anello e ____________________ ____________________.	**della - fatto - ne - ho - il portafortuna - mia vita**
Durante gli spettacoli lo tolgo, ma solo dopo ____________________ ____________________rubarmelo.	**può - nascosto - dove - in posti – averlo - nessuno**
Ero molto affezionata a mia nonna e in questo ____________________ ____________________ a me.	**ancora - di - mi sembra - modo - sentirla - vicino**

c) In questo testo ci sono due errori. Trovali e correggili.

Carmen Covito (scrittrice)
La compagna della mia vita è l'agendina. È la prima cosa che metto in borsa quando esco e la prima che metto sul tavolo quando rientro a casa. Non me ne separo mai, è come un'altra parte di me. Non ci sono solo numeri di telefono, ma anche appunti, pensieri e idee da usare per nuove storie. Mi ha successo di perderla solo una volta: non trovavo più la borsa, dove c'erano soldi e documenti. Ma io pensavo solo all'agendina. Per un momento mi sono sentita orfana: poi, per fortuna, l'ho ritrovato. Alla fine ho scoperto che era solo lo scherzo di un'amica.

d) Trasforma il testo alla 3ª persona singolare, come nell'esempio.

Patrizia Scarselli (architetto)
Ho una collana di corallo che metto soltanto per importanti occasioni professionali o in momenti difficili della mia vita privata. È un oggetto che mi fa sentire bene: il corallo non è una pietra morta ed è questa proprietà che probabilmente è capace di trasmettermi una grande energia positiva. Ma non è finita qui. In tasca, o più spesso nel portafoglio, porto con me anche quattro foglietti con dei disegnini che mi ha fatto mia figlia molto tempo fa, in un periodo molto triste della mia vita. Anche questi piccoli biglietti hanno su di me un effetto benefico. Credo molto nel potere degli oggetti e affido loro la mia fortuna.

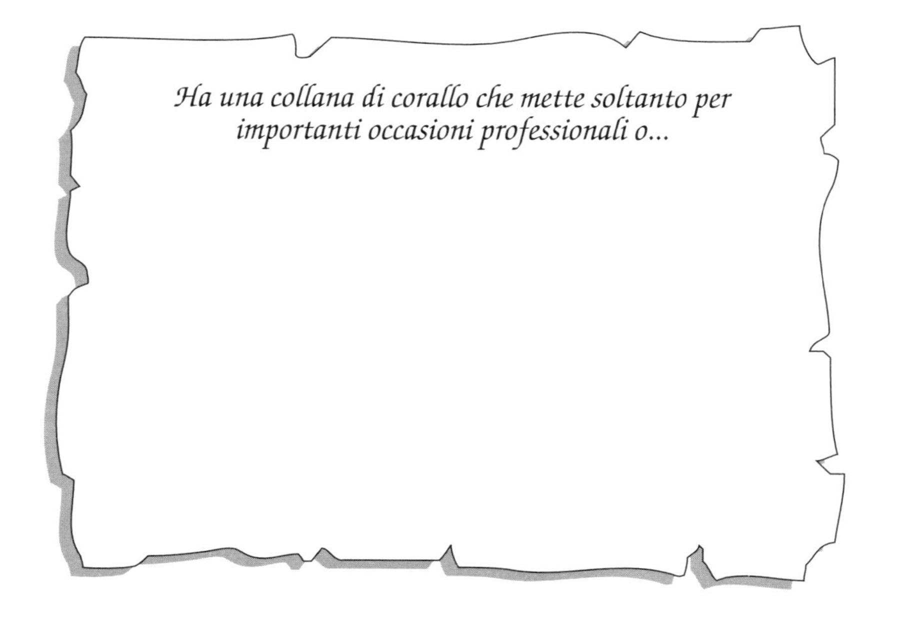

e) Coniuga i verbi al presente indicativo o al passato prossimo. I verbi sono in ordine.

1. scegliere – 2. piovere – 3. avere – 4. diventare – 5. fare

Maurizio Nichetti (regista)

1.____________________ come mio portafortuna un cappuccio. Prima di tutto per ragioni pratiche: io abito al nord, dove 2.________________ molto spesso, e in più viaggio molto per lavoro, tra un set cinematografico e l'altro. Così porto sempre con me il mio montgomery: 3.________________ un largo cappuccio, comodissimo in caso di neve e pioggia e, soprattutto 4.________________ una specie di protezione contro la negatività. Sapere di avere il cappuccio a portata di mano mi 5.________________ sentire al sicuro ed è ormai un'abitudine a cui difficilmente rinuncerei.

7. Produzione scritta

Racconta un episodio sulla superstizione che hai vissuto o che ti hanno raccontato. Se non ne conosci nessuno, inventalo!

Come eravamo

1. Lettura con problema

Leggi i ricordi d'infanzia di questi quattro personaggi e cerca di capire se si tratta di uomini o di donne.

Come eravamo

Infanzia. Come giocavano, ridevano, vivevano i bambini di un tempo? Lo raccontano alcuni personaggi famosi.

Personaggio n. 1: uomo ❍ donna ❍
La mia passione erano i libri. Leggendo dimenticavo il mio forte sentimento di inadeguatezza. Cosa vuol dire inadeguatezza? Il sentimento di inadeguatezza significa sentirsi fuori posto, fuori tempo, fuori parte. Come avere sempre l'impressione di essere una clandestina e aspettarsi che da un momento all'altro possa uscire fuori dal nulla una figura gigantesca, che con un dito puntato mi dice: "Chi ti ha dato il permesso di stare lì?" "Dove stai?" "Chi ti ha chiamato?" "Cosa vuoi?". Io ero una bambina timidissima e impacciata che non sapeva dove mettere le mani e il naso.

Personaggio n. 2: uomo ❍ donna ❍
A tre anni ho colpito un soldato americano perché aveva preso a calci un grosso topo che aveva spaventato la mia bambinaia. Io mi sarei portata in casa ogni tipo di animale che incontravo nelle nostre gite in campagna, ma per cominciare dovetti accontentarmi di un picchio. Me lo regalò, quando avevo quattro anni, un amico di mio padre che andava a caccia tutte le domeniche.

Personaggio n. 3: uomo ❍ donna ❍
Volevo scappare, come Robinson nell'isola deserta. Alla fine ho trovato il modo. Guardando la parete che separava la stanza da pranzo dalla cucina, che era una parete molto grossa come le facevano nelle case antiche. Ho pensato che all'interno c'era posto per scavare una stanzetta invisibile. Era lunga e stretta ma per me che ero piccolo era più che sufficiente. C'era anche una finestrina da cui si vedeva il sole. Potevo stare a casa in segreto e fare quello che volevo.

Personaggio n. 4: uomo ❍ donna ❍
Io ero capo di una banda. Non so perché ero io il capo: non ero più forte, più veloce o più coraggioso degli altri. Però a scuola scrivevo dei bei pensieri. Insieme ai pensieri avevo le parole e le parole servono per fare il capo.
Le bande combattevano una contro l'altra, si giocava a rincorrersi e a catturarsi. Ai prigionieri si faceva un processo nella nostra tana. La tana era il covo della banda, ma noi la chiamavamo tana come quella degli animali.

(da "Io donna - suppl. del Corriere della sera")

2. Comprensione

a) Ognuno di questi quattro profili corrisponde ad uno dei personaggi dell'attività 1. Collega ogni profilo con il personaggio corrispondente.

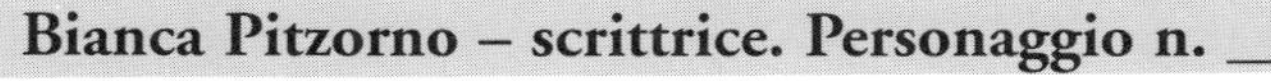

Bianca Pitzorno – scrittrice. Personaggio n. __

Era vivace e aveva un carattere forte.
Amava tutti gli animali anche quelli più brutti.

Roberto Piumini – scrittore. Personaggio n. __

Sapeva comandare perché parlava e scriveva bene. Con i suoi amici si divertiva a giocare "alla guerra".

Dacia Maraini – scrittrice. Personaggio n. __

Amava molto leggere, aveva molte paure e non si sentiva bene in mezzo alla gente.

Francesco Tullio Altan – disegnatore. Personaggio n. __

Aveva spirito di avventura e una grande immaginazione.

b) Scegli per ogni personaggio l'aggettivo o gli aggettivi che secondo te meglio lo definiscono e poi spiega perché (puoi aiutarti con gli aggettivi della lista o anche usarne altri). Alla fine confrontati con un compagno.

aggressivo **autorevole** **avventuroso** **energico** **capriccioso** **ingegnoso** **fantasioso** **intellettuale** **sentimentale** **generoso** **malinconico** **litigioso** **orgoglioso** **riflessivo** **umile** **riservato**

personaggio	come era?	perché?
n. 1. Dacia Maraini		
n. 2. Bianca Pitzorno		
n. 3. Francesco Tullio Altan		
n. 4. Roberto Piumini		

3. Analisi del testo: grammatica

a) Sottolinea nei quattro testi dell'attività 1 tutti i verbi all'imperfetto indicativo, al passato prossimo e al trapassato prossimo e poi scrivili nella tabella insieme all'infinito, come nell'esempio.

imperfetto indicativo	passato prossimo	trapassato prossimo
erano (essere)		

b) Osserva i verbi sottolineati nei 4 testi e, insieme a un compagno, cerca di rispondere alle domande.

Quale tempo del passato è usato per:
1. descrivere il modo di essere di cose o persone, le loro caratteristiche fisiche o psicologiche?
2. descrivere un'azione abituale?
3. raccontare un fatto che si è concluso?

c) Osserva i verbi al trapassato prossimo che hai trovato nel testo n. 2 e, insieme a un compagno, cerca di rispondere alle domande.

1. Come si forma il trapassato prossimo?
2. Quando si usa?

4. Produzione orale

Intervista un compagno e chiedigli di parlarti della sua infanzia (puoi aiutarti con le domande qui sotto). Poi scambiatevi i ruoli.

Qual è la prima cosa che ricordi di quando eri piccolo/a?

Com'eri fisicamente?

Che carattere avevi?

Eri bravo/a a scuola?

Qual era la tua materia preferita?

Avevi molti amici/amiche?

Praticavi qualche sport?

Leggevi molto?

Quali erano i tuoi interessi?

Che giochi facevi?

Ti ricordi com'era la casa in cui abitavi da bambino/a?

Cosa pensavi di fare da grande?

5. Esercizio sui verbi

Il cinema italiano racconta...

a) Metti i verbi all'imperfetto indicativo. I verbi sono in ordine.

1. abitare - 2. essere - 3. essere - 4. sapere

Michelangelo Antonioni - regista

1.____________ in un quartiere di periferia: San Giorgio. C' 2.____________ un campanile vicino casa nostra. In cima era cresciuto un ciliegio. Un giorno mi sono accorto che l'albero 3.____________ carico di frutti e mi sono arrampicato. Lassù ho trovato un gatto infuriato. Era salito e non 4.____________ scendere. Ho dovuto farlo volare con un calcio per non cadere io. Intanto sotto si era raccolta molta gente, hanno perfino chiamato i pompieri.

b) Metti i verbi all'imperfetto indicativo. I verbi sono in ordine.

1. essere - 2. andare - 3. portare - 4. vedere - 5. stare - 6. vedere

Bernardo Bertolucci - regista

Mi ricordo che quando 1.____________ piccolissimo mia madre, ogni volta che 2.____________ a trovare i suoi genitori a qualche chilometro di distanza, mi 3.____________ dentro un paniere infilato nel manubrio della bicicletta. Tornando la sera tardi 4.____________ la sua faccia davanti a me, perché 5.____________ accucciato con la spalle rivolte alla strada e dietro la sua faccia 6.____________ la luna.

c) Metti i verbi al posto giusto e completa il testo.

avevo - avevo - ha costruito - ho cominciato - faceva - permetteva - piaceva - volevo

Roberto Rossellini - regista

Mio padre ________________ il primo cinema moderno di Roma, il Corso. Da allora (io) ______________ ad andare al cinema tutti i giorni. ______________ una tessera che mi ____________ di entrare gratis ogni volta che ____________. Non ______________ una passione delirante per il cinema, ma mi ____________. Frequentando il Corso ho conosciuto della gente che ______________ cinema, perciò quando ho dovuto mettermi a lavorare mi è venuto naturale lavorare per il cinema.

d) Metti i verbi al posto giusto e completa il testo.

abbiamo avuto - ammirava - andavamo - andavo - eravamo ero - hanno cominciato - litigavamo

Pier Paolo Pasolini - regista e scrittore

Io e mio fratello ______________ molto, ma ______________ amici. Lui mi ______________ perché a scuola ______________ bene, perché ________________ più grande, più forte. (Noi) ______________ a fare a sassate con gli altri ragazzi. Una volta ______________ l'idea di farci costruire degli scudi di metallo. Quello scudo è stato una delle più grandi gioie della mia vita. Quando i ragazzi della banda nemica ________________ a tirare sassi, noi ci siamo lanciati in avanti protetti dagli scudi. Tutti sono rimasti travolti dall'ammirazione.

6. Produzione scritta

Racconta un episodio particolare della tua infanzia.

7. Ripassiamo

a) Metti i verbi all'imperfetto indicativo o al passato prossimo. I verbi sono in ordine.

1. essere - 2. dimenticare - 3. dare - 4. chiamare - 5. essere - 6. sapere

Dacia Maraini - scrittrice

La mia passione 1.____________ i libri. Leggendo 2.____________ il mio forte sentimento di inadeguatezza. Cosa vuol dire inadeguatezza?
Il sentimento di inadeguatezza significa sentirsi fuori posto, fuori tempo, fuori parte. Come avere sempre l'impressione di essere una clandestina e aspettarsi che da un momento all'altro possa uscire fuori dal nulla una figura gigantesca, che con un dito puntato mi dice:
"Chi ti 3.____________ il permesso di stare lì?" "Dove stai?" "Chi ti 4.____________?" "Cosa vuoi?". Io 5.____________ una bambina timidissima e impacciata che non 6.____________ dove mettere le mani e il naso.

b) Metti i verbi all'imperfetto indicativo o al trapassato prossimo. I verbi sono in ordine.

1. prendere – 2. spaventare – 3. incontrare – 4. avere – 5. andare

Bianca Pitzorno – scrittrice
A tre anni ho colpito un soldato americano perché 1.____________________ a calci un grosso topo che 2.____________________ la mia bambinaia. Io mi sarei portata in casa ogni tipo di animale che 3.____________________ nelle nostre gite in campagna, ma per cominciare dovetti accontentarmi di un picchio. Me lo regalò, quando 4.____________________ quattro anni, un amico di mio padre che 5.____________________ a caccia tutte le domeniche.

c) Metti i verbi all'imperfetto indicativo o al passato prossimo. I verbi sono in ordine.

1. volere – 2. trovare – 3. separare – 4. essere – 5. fare – 6. essere – 7. essere 8. essere – 9. essere – 10. essere - 11. vedere – 12. potere – 13. volere

Francesco Tullio Altan – disegnatore
1.____________ scappare, come Robinson nell'isola deserta. Alla fine 2.____________ il modo. Guardando la parete che 3.____________ la stanza da pranzo dalla cucina, che 4.____________ una parete molto grossa come le 5.____________ nelle case antiche. Ho pensato che all'interno c' 6.____________ posto per scavare una stanzetta invisibile. 7.____________ lunga e stretta ma per me che 8.____________ piccolo 9.____________ più che sufficiente. C' 10.____________ anche una finestrina da cui si 11.____________ il sole. 12.____________ stare a casa in segreto e fare quello che 13.____________.

d) Metti i verbi al posto giusto e coniugali all'imperfetto indicativo (non sono in ordine).

avere – chiamare – combattere – essere - essere - essere - essere – fare – giocare – scrivere

Roberto Piumini – scrittore
Io ______________ capo di una banda. Non so perché ______________ io il capo: non ______________ più forte, più veloce o più coraggioso degli altri. Però a scuola ______________ dei bei pensieri. Insieme ai pensieri ______________ le parole e le parole servono per fare il capo. Le bande ______________ una contro l'altra, si ______________ a rincorrersi e a catturarsi. Ai prigionieri si ______________ un processo nella nostra tana. La tana ______________ il covo della banda, ma noi la ______________ tana come quella degli animali.

6 Piccoli piaceri quotidiani

1. Lettura con problema

5 famosi personaggi italiani parlano dei loro piccoli piaceri quotidiani. Completa il racconto di ogni personaggio con il "piacere" giusto.

leggere i giornali del mattino | **giocare con un videogame portatile** | **disegnare** | **mangiare pane e olio** | **fare una colazione abbondante**

a. Dario Fo (attore, regista, autore di testi teatrali e premio Nobel per la letteratura)

1 Mi piace molto ___________________________________, quindi mi piacciono i colori. Raccolgo pastelli, pennarelli e matite di ogni tipo. Ho messo insieme una collezione enorme, quasi inquietante: ho occupato tutto lo studio. Mia moglie mi ha fatto un regalo di compleanno
5 strepitoso: ottanta pennarelli ricaricabili, ottanta colori diversi. Che dire del piacere di vederli tutti sul foglio? Mi dà un grande senso di libertà.

b. Franca Rame (attrice e moglie di Dario Fo)

1 Mi piace ___________________________________. È l'inseparabile compagno delle mie notti. Mi segue a letto, sul divano, perfino in bagno. Ormai non posso più farne a meno, è diventato una piccola ossessione. Un piccolo computer nero - all'occorrenza silenzioso per non disturbare il
5 sonno di mio marito - che sa giocare a poker, scala quaranta, bridge. Me l'ha regalato il direttore del casinò di Saint Vincent. Dopo una giornata pesante non c'è niente di più rilassante che andare a letto e fare 25 mila punti.

c. Massimo Ammanniti (psicanalista)

1 Mi piace ___________________________________. Quella a base di latte e cereali, di pane, burro e marmellata. Un lusso che riesco a concedermi raramente. Nei momenti di vacanza o la domenica mattina. Lo spettacolo della tavola imbandita mi dà allegria: la tazza grande, la
5 scatola dei corn-flakes, i biscotti. E poi la marmellata di arance amare. Dopo giorni di lavoro stressante, il rito della domenica è il momento più bello della settimana. E per assaporarlo meglio non deve mancare una tranquilla lettura del giornale.

d. Carlo Scognamiglio (politico)

Mi piace ____________________. Li aspetto con un sentimento di ansia quasi piacevole. Mi sveglio alle sei ma me li portano solo alle sette. Da quel momento non ci sono per nessuno. Passo un'ora da solo fra le pagine di tutti i principali quotidiani e settimanali italiani. Nessuno escluso. Quello che mi dà soddisfazione non è tanto il fatto di informarmi, aggiornarmi, documentarmi: a me piace proprio la lettura in sé, stare lì indisturbato nel fruscio della carta.

e. Renzo Arbore (showman)

Mi piace ____________________. Ogni occasione è buona. Quando vado al ristorante, con la scusa di insaporire la minestra o la carne, chiedo al cameriere di portarmi dell'olio e poi, di nascosto, lo metto sul pane. Non c'è niente di più gustoso e appagante. Potrei vivere solo con queste due cose. Un vero toccasana. Soprattutto l'olio. Mia nonna lo metteva anche sulla pelle! Per me il corpo è una macchina e l'olio è il suo carburante. Ma deve essere extra-vergine e rigorosamente pugliese.

da "Il Venerdi di Repubblica."

2. Comprensione

Come spiegano i 5 personaggi le loro preferenze? Completa la tabella.

a	piace	perché
Dario Fo	*disegnare e collezionare colori*	*gli dà un grande senso di libertà*
Franca Rame		
Massimo Ammanniti		
Carlo Scognamiglio		
Renzo Arbore		

3. Analisi del testo: lessico

Trova per ogni significato l'espressione corrispondente nei testi, come negli esempi.

testo	espressione del testo	significato
a. Dario Fo	*enorme*	molto grande
		preoccupante
		eccezionale, straordinario
b. Franca Rame		unito, legato in modo molto stretto
		viene con me
		anche
		stare senza, rinunciare
		quando serve, quando c'è bisogno
c. Massimo Ammanniti		ricca, piena di cose
		eccesso, extra
		darmi, permettermi
		quasi mai, il contrario di "spesso"
		apparecchiata, preparata, piena di cose
		senza zucchero
	assaporarlo	gustarlo
d. Carlo Scognamiglio	*ansia*	agitazione, preoccupazione
		giornali che escono ogni giorno
		giornali che escono ogni settimana
		rumore leggero
e. Renzo Arbore		dare più gusto
		soddisfacente
		rimedio straordinario, medicina che guarisce da tutte le malattie
		benzina

4. Produzione

Fai una lista dei tuoi piccoli piaceri quotidiani e poi confrontati con i compagni. Alla fine votate il "piacere" più strano.

5. Analisi del testo: grammatica

a) Sottolinea nei 5 testi dell'attività 1 tutti i pronomi personali e poi completa la tabella, come nell'esempio.

pronomi diretti	pronomi indiretti	pronomi riflessivi	pronomi combinati	pronomi dopo preposizione
	Mi piace			

b) A cosa si riferiscono le parole sottolineate? Completa la tabella.

testo	riga	parola	si riferisce a
a) Dario Fo	6	veder**li**	
b) Franca Rame	3	far**ne** a meno	
b) Franca Rame	5	**che** sa giocare	
b) Franca Rame	5	Me **l'**ha regalato	
c) Massimo Ammanniti	1	**Quella** a base di latte	
c) Massimo Ammanniti	7	assaporar**lo**	
d) Carlo Scognamiglio	1	**Li** aspetto	
d) Carlo Scognamiglio	2	Me **li** portano	
e) Renzo Arbore	4	**lo** metto	
e) Renzo Arbore	6	**lo** metteva	
e) Renzo Arbore	7	il **suo** carburante	

c) Osserva questa frase e rifletti con un compagno sul diverso uso del verbo "piacere".

Mi piace molto disegnare, quindi **mi piacciono** i colori.

6. Produzione scritta

Sei un giornalista e devi scrivere un articolo sui piccoli piaceri quotidiani di questi famosi personaggi. Quali potrebbero essere? Usa l'immaginazione. Alla fine la classe voterà l'articolo più originale.

Il Papa

Il Presidente degli Stati Uniti

Roberto Benigni

Michael Schumacher

Madonna

7. Ripassiamo

a) Riscrivi i 3 testi alla 3ª persona singolare. Attenzione ai pronomi personali, ai possessivi e ai verbi!

Dario Fo (attore, regista, autore di testi teatrali e premio Nobel per la letteratura)
Mi piace molto disegnare, quindi mi piacciono i colori. Raccolgo pastelli, pennarelli e matite di ogni tipo. Ho messo insieme una collezione enorme, quasi inquietante: ho occupato tutto lo studio. Mia moglie mi ha fatto un regalo di compleanno strepitoso: ottanta pennarelli ricaricabili, ottanta colori diversi. Che dire del piacere di vederli tutti sul foglio? Mi dà un grande senso di libertà.

Gli piace molto disegnare, quindi...

Franca Rame (attrice e moglie di Dario Fo)
Mi piace giocare con un videogame portatile. È l'inseparabile compagno delle mie notti. Mi segue a letto, sul divano, perfino in bagno. Ormai non posso più farne a meno, è diventato una piccola ossessione. Un piccolo computer nero - all'occorrenza silenzioso per non disturbare il sonno di mio marito - che sa giocare a poker, scala quaranta, bridge. Me l'ha regalato il direttore del casinò di Saint Vincent. Dopo una giornata pesante non c'è niente di più rilassante che andare a letto e fare 25 mila punti.

Le piace giocare con un videogame portatile. È l'inseparabile...

Carlo Scognamiglio (politico)
Mi piace leggere i giornali del mattino. Li aspetto con un sentimento di ansia quasi piacevole. Mi sveglio alle sei ma me li portano solo alle sette. Da quel momento non ci sono per nessuno. Passo un'ora da solo fra le pagine di tutti i principali quotidiani e settimanali italiani. Nessuno escluso. Quello che mi dà soddisfazione non è tanto il fatto di informarmi, aggiornarmi, documentarmi: a me piace proprio la lettura in sé, stare lì indisturbato nel fruscio della carta.

Gli piace leggere i giornali del mattino...

b) Nel testo mancano i 4 pronomi della lista (non sono in ordine). Inseriscili al posto giusto.

mi – lo – mi – mi

Massimo Ammanniti (psicanalista)
piace fare una colazione abbondante. Quella a base di latte e cereali, di pane, burro e marmellata. Un lusso che riesco a conceder raramente. Nei momenti di vacanza o la domenica mattina. Lo spettacolo della tavola imbandita mi dà allegria: la tazza grande, la scatola dei corn-flakes, i biscotti. E poi la marmellata di arance amare. Dopo giorni di lavoro stressante, il rito della domenica è il momento più bello della settimana. E per assaporar meglio non deve mancare una tranquilla lettura del giornale.

c) Completa il testo con i pronomi.

Renzo Arbore (showman)
___ piace mangiare pane e olio. Ogni occasione è buona. Quando vado al ristorante, con la scusa di insaporire la minestra o la carne, chiedo al cameriere di portar__ dell'olio e poi, di nascosto, ___ metto sul pane. Non c'è niente di più gustoso e appagante. Potrei vivere solo con queste due cose. Un vero toccasana. Soprattutto l'olio. Mia nonna ___ metteva anche sulla pelle! Per ___ il corpo è una macchina e l'olio è il suo carburante. Ma deve essere extra-vergine e rigorosamente pugliese.

7 Italiani

1. Introduzione alla lettura

Rispondi alle domande sugli italiani e poi confrontati con alcuni compagni.

**a) Secondo te gli italiani sono orgogliosi di essere italiani?
(indica in modo approssimativo le percentuali)**

molto ___%
abbastanza ___%
poco ___%
per niente ___%

**b) Secondo te quali sono i simboli più prestigiosi del made in Italy?
(indica i primi 3 in ordine di importanza)**

la Ferrari

la moda

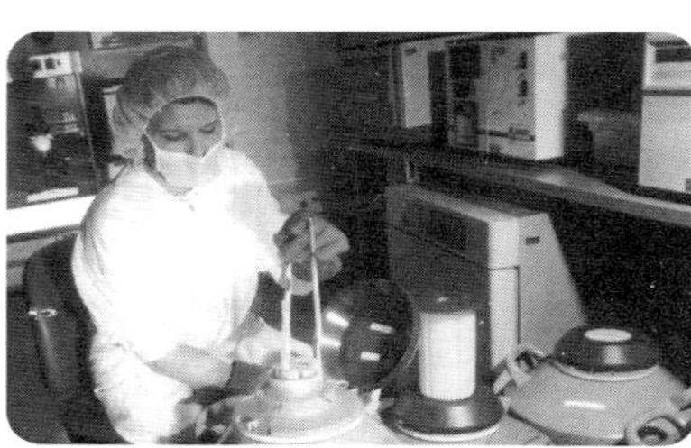

la scienza

la cucina

l'arte

la musica classica/l'opera

la musica leggera

il vino

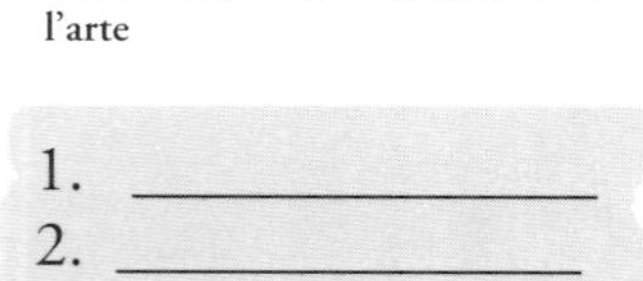

1. ________________
2. ________________
3. ________________

c) Secondo te, quali sono gli italiani più importanti di tutti i tempi? (indica i primi 3 in ordine di importanza)

Leonardo	Giuseppe Garibaldi	Dante Alighieri
Guglielmo Marconi	Michelangelo	Cristoforo Colombo
Giacomo Leopardi	Niccolò Machiavelli	Raffaello
Giuseppe Verdi	Federico Fellini	Rodolfo Valentino

1. ________________
2. ________________
3. ________________

d) Secondo te quali sono le principali qualità degli italiani? (indica le prime 3 in ordine di importanza)

creatività	intelligenza	coraggio
dignità	operosità	calore umano
generosità	bontà	capacità di arrangiarsi
solidarietà		

1. ________________
2. ________________
3. ________________

e) E quali sono i principali difetti? (indica i primi 3 in ordine di importanza)

superficialità	pigrizia	opportunismo
disonestà	individualismo	cattiveria
stupidità	vigliaccheria	poca dignità
	avarizia	

1. ________________
2. ________________
3. ________________

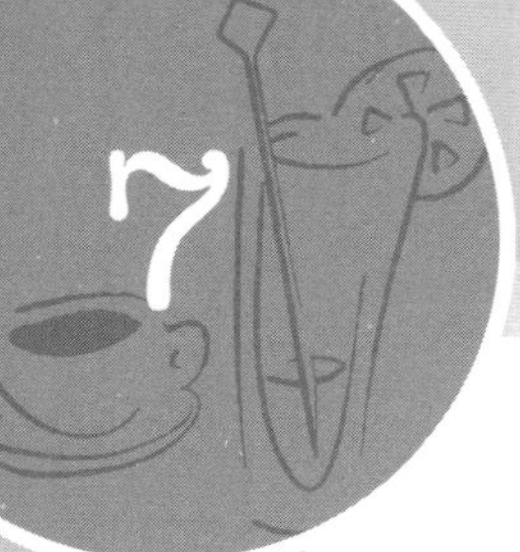

2. Lettura

Ora leggi come hanno risposto gli italiani alle stesse domande.

a) È orgoglioso di essere italiano?	%
molto	73.0
abbastanza	20.0
poco	5.0
per niente	1.0
non sa/non risponde	1.0

b) Quali sono i simboli più prestigiosi del made in Italy?	%
l'arte	28.0
la cucina	22.0
la moda	17.0
la Ferrari	13.0
la musica classica/l'opera	7.0
il vino	6.0
la scienza	5.0
la musica leggera	1.0
non sa/non risponde	1.0

c) Quali sono gli italiani più importanti di tutti i tempi?	%
Leonardo	34.0
Giuseppe Garibaldi	15.0
Dante Alighieri	10.0
Guglielmo Marconi	7.0
Michelangelo	6.0
Cristoforo Colombo	5.0
Giacomo Leopardi	5.0
Niccolò Machiavelli	5.0
Giuseppe Verdi	4.0
Raffaello	3.0
Federico Fellini	3.0
Rodolfo Valentino	1.0
non sa/non risponde	2.0

d) Quali sono le principali qualità degli italiani?	%
capacità di arrangiarsi	19.0
generosità	14.0
creatività	13.0
solidarietà	13.0
intelligenza	10.0
operosità	9.0
calore umano	8.0
bontà	5.0
dignità	4.5
coraggio	3.5
non sa/non risponde	1.0

e) E i principali difetti?	%		%
pigrizia	19.0	stupidità	8.0
superficialità	14.0	vigliaccheria	5.0
opportunismo	13.0	poca dignità	4.5
disonestà	13.0	avarizia	3.5
individualismo	10.0	non sa/non risponde	1.0
cattiveria	9.0		

(da "Famiglia Cristiana")

3. Produzione

Ora rispondi alle domande sui tuoi connazionali. Poi confrontati con un compagno e motiva le tue risposte. Attenzione: nello spazio vuoto della domanda "a" devi scrivere l'aggettivo corrispondente alla tua nazionalità (es. spagnoli, tedeschi...), in quello della domanda "b" devi scrivere il nome del tuo Paese.

a. Secondo te i tuoi connazionali sono orgogliosi di essere ____________?

b. Secondo te quali sono i simboli più prestigiosi del made in ____________?

c. Secondo te quali sono o sono stati i personaggi più importanti per il tuo Paese?

d. Secondo te quali sono le principali qualità dei tuoi connazionali?

e. E quali sono i principali difetti?

4. Lettura con problema

Leggi l'articolo e poi rispondi alla domanda:

Secondo te l'autore dell'articolo è orgoglioso di essere italiano?

Gli italiani non sono tutti uguali

Bisogna rassegnarsi: gli italiani non sono tutti uguali. Anzi sono diversissimi i loro gusti, le loro culture, le loro tradizioni, le loro scelte.

Questa osservazione, lo ammetto, è molto banale. Ma risulta sorprendente per gli stranieri che non ci conoscono bene.

Molti anni fa, invitato a cena nella cosmopolita San Francisco, sono stato accolto dalla padrona di casa con questo complimento: "Lei pizzica il sedere alle signore? È un'abitudine dei suoi connazionali, non è vero?" Gulp! ho risposto. Poi lei ha aggiunto: "In suo onore ho apparecchiato la tavola con i colori della vostra bandiera." Come no? I tovaglioli erano blu e arancione. Ok, grazie del pensiero.

D'estate ascoltiamo spesso in trattoria tante frasi come queste: "Gli spaghetti cucinati al dente, mi raccomando!" "Il vino ghiacciato, per favore!" "Il caffè bollente, come al solito!" Io, per esempio, al contrario di molti miei connazionali, non amo la pasta semicruda né le bevande gelate e non capisco perché mai dovrei scottarmi la gola con un liquido supercaldo. Rispetto le passioni altrui, naturalmente, ma ritengo di essere un italiano medio e normale, anche se non condivido questi gusti.

Faccio parte, insomma, di quella minoranza che non protesta se, alle Maldive il ragù non è buono come quello della propria nonna e se la pizza napoletana non è soffice come a Napoli. Sono uno dei tanti cittadini che vive bene in questo Paese proprio perché siamo diversi gli uni dagli altri: liberi di scegliere e di sentirsi profondamente italiani, anche se non pizzichiamo il sedere alle signore, non amiamo gli spaghetti troppo al dente, il vino troppo freddo e il caffè troppo caldo.

(da "Io donna - suppl. del Corriere della sera")

5. Analisi del testo: lessico

Trova nell'articolo i sinonimi delle espressioni indicate e completa la tabella. Attenzione: per ogni espressione ci sono due sinonimi nel testo.

espressione	1° sinonimo nel testo	2° sinonimo nel testo
poco cotto		
molto freddo		
molto caldo		

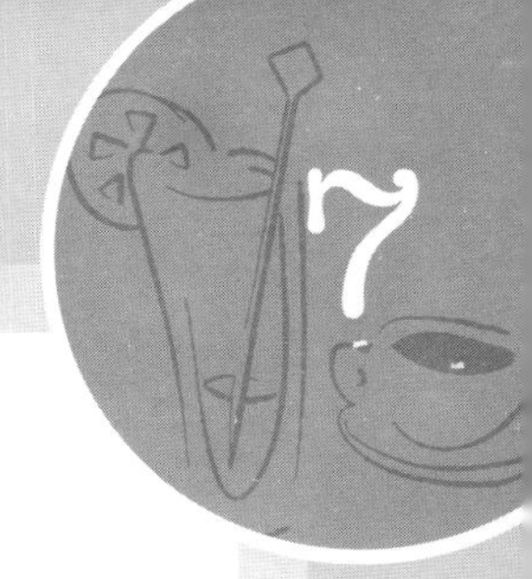

6. Analisi del testo: grammatica

a) Osserva la parola "proprio" evidenziata nel testo. Quale diversa funzione grammaticale ha nei due casi? Discutine con un compagno.

> Faccio parte, insomma, di quella minoranza che non protesta se, alle Maldive il ragù non è buono come quello della **propria** nonna e se la pizza napoletana non è soffice come a Napoli. Sono uno dei tanti cittadini che vive bene in questo Paese **proprio** perché siamo diversi gli uni dagli altri…

b) Osserva questa frase:

> Rispetto le passioni **altrui**, naturalmente, ma ritengo di essere un italiano medio e normale…

Cosa significa "altrui"?

strane ❍
degli altri ❍

c) Oltre a "proprio" e ad "altrui" ci sono altri 8 aggettivi possessivi nell'articolo. Trovali e scrivili nella tabella insieme al sostantivo a cui si riferiscono.

aggettivo possessivo	sostantivo

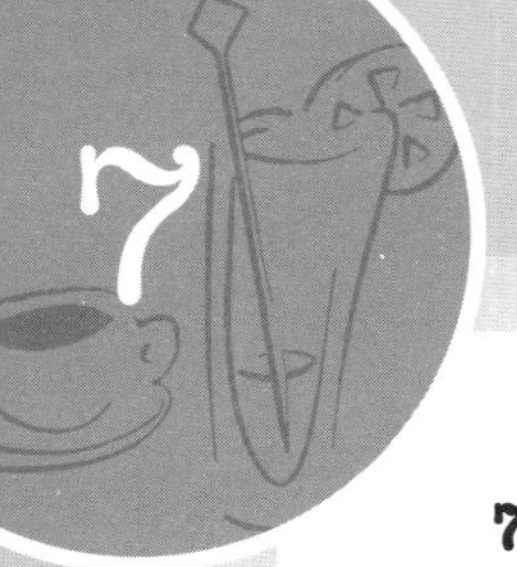

7. Produzione scritta

Sei orgoglioso di essere ________________? (inserisci nello spazio l'aggettivo che si riferisce alla tua nazionalità)
Sì/No? Perché?

8. Ripassiamo

a) Completa il testo con gli aggettivi possessivi, con o senza gli articoli.

Bisogna rassegnarsi: gli italiani non sono tutti uguali. Anzi sono diversissimi ________ gusti, ________ culture, ________ tradizioni, ________ scelte.
Questa osservazione, lo ammetto, è molto banale. Ma risulta sorprendente per gli stranieri che non ci conoscono bene. Molti anni fa, invitato a cena nella cosmopolita San Francisco, sono stato accolto dalla padrona di casa con questo complimento: "Lei pizzica il sedere alle signore? È un'abitudine dei ________ connazionali, non è vero?" Gulp! ho risposto. Poi lei ha aggiunto: "In ________ onore ho apparecchiato la tavola con i colori della ________ bandiera." Come no? I tovaglioli erano blu e arancione. Ok, grazie del pensiero. D'estate ascoltiamo spesso in trattoria tante frasi come queste: "Gli spaghetti cucinati al dente, mi raccomando!" "Il vino ghiacciato, per favore!" "Il caffè bollente, come al solito!" Io, per esempio, al contrario di molti ________ connazionali, non amo la pasta semicruda né le bevande gelate e non capisco perché mai dovrei scottarmi la gola con un liquido supercaldo.

b) Completa il testo con le parole della lista.

altri - altrui - propria - quella - quello - questi - questo - tanti - uni

Rispetto le passioni __________, naturalmente, ma ritengo di essere un italiano medio e normale, anche se non condivido __________ gusti. Faccio parte, insomma, di __________ minoranza che non protesta se, alle Maldive il ragù non è buono come __________ della __________ nonna e se la pizza napoletana non è soffice come a Napoli. Sono uno dei __________ cittadini che vive bene in __________ Paese proprio perché siamo diversi gli __________ dagli __________: liberi di scegliere e di sentirsi profondamente italiani, anche se non pizzichiamo il sedere alle signore, non amiamo gli spaghetti troppo al dente, il vino troppo freddo e il caffè troppo caldo.

Italiani e italiane

8

1. Introduzione alla lettura

Come sono cambiati gli uomini e le donne italiani? Una recente ricerca fatta da un istituto di studi sociologici ha dato alcune interessanti risposte. In coppia, in base alle vostre conoscenze della società italiana, provate a fare una previsione, dicendo se queste affermazioni corrispondono o meno ai risultati della ricerca.

Dalla ricerca è risultato che:	vero	falso
1. Le donne spendono più degli uomini.	❍	❍
2. Gli uomini tradiscono più delle donne.	❍	❍
3. In amore gli uomini sono meno sicuri delle donne.	❍	❍
4. Nel lavoro le donne innamorate e felicemente sposate hanno più successo delle single.	❍	❍
5. Per le donne è più conveniente lavorare con un capo uomo che con un capo donna.	❍	❍
6. Le donne manager sono più preparate degli uomini manager.	❍	❍

2. Lettura con problema

a) Ora leggete i seguenti testi e verificate se avete ragione oppure no.

1. Le donne spendono più degli uomini. ❍ **vero** ❍ **falso**

L'immagine di lei che torna a casa con borse e pacchetti, mentre lui si sente male guardando il conto, oggi è superata. Infatti si è scoperto che adesso è l'uomo ad avere le mani bucate. L'italiano ama molto il bel vivere: viaggiare, vestirsi bene, giocare al casinò. A sorpresa, invece, le donne amano il risparmio e spendono poco.

2. Gli uomini tradiscono più delle donne. ❍ **vero** ❍ **falso**

Vi ricordate i mariti dalla doppia vita, che per anni si dividono fra la moglie e l'amante? Dimenticateli. Gli amori extramatrimoniali ora piacciono più a lei che a lui. Le donne italiane quando tradiscono possono dividersi tra marito e amante anche per 5 o 10 anni di seguito. Una curiosità: le casalinghe tradiscono più delle impiegate, ma meno delle manager e delle attrici. Le meno fedeli di tutte sono le cinquantenni e le sessantenni; cioè donne non giovanissime che invece di pensare ai nipotini, si trovano un amante.

3. In amore gli uomini sono meno sicuri delle donne. ❍ **vero** ❍ **falso**

Gli uomini italiani hanno paura. Paura del confronto con altri uomini, della qualità delle loro prestazioni, e del giudizio delle loro compagne. Sono amanti passionali, ma anche imbarazzati e bugiardi, incapaci di parlare alla compagna delle loro paure. Mentre gli uomini sono in crisi, le donne italiane invece sono sempre più sicure di sé.

4. Nel lavoro le donne innamorate e felicemente sposate hanno più successo delle single. ❍ **vero** ❍ **falso**

Nel lavoro vincono le single. Infatti si è visto che le donne che vengono da delusioni sentimentali hanno più successo di quelle innamorate e felicemente sposate. Di solito le donne sole concentrano tutte le energie sul lavoro e sono le più determinate a raggiungere il successo sociale. Invece le donne che hanno un partner stabile si dedicano soprattutto all'amore e alla famiglia.

5. Per le donne è più conveniente lavorare con un capo uomo che con un capo donna. ❍ vero ❍ falso

Altro che solidarietà femminile: sul lavoro le donne si fanno la guerra. In Italia sembra che se il capo è femmina le possibilità di fare carriera per una donna diminuiscono del 50%. In altre parole se una lavoratrice vuole far carriera deve augurarsi di avere come capo un uomo.

6. Le donne manager sono più preparate degli uomini manager.
❍ vero ❍ falso

Le donne manager nelle aziende italiane sono bravissime, ma rare come mosche bianche. L`87% delle donne manager sono laureate e il 79% conosce perfettamente almeno una lingua straniera contro, rispettivamente, il 45% e il 60% dei dirigenti maschi.

(da "Anna")

b) Adesso trasformate in vere le affermazioni false, correggendone il significato.

falso	vero
1. Le donne spendono più degli uomini.	1. ______________ *più* ______________.
2. Gli uomini tradiscono più delle donne.	2. ______________ *più* ______________.
4. Nel lavoro le donne innamorate e felicemente sposate hanno più successo delle single.	4. *Nel lavoro* ______________ *più* ______________.

3. Produzione orale

Confrontate le ipotesi che avete fatto nell'attività 1 con i testi che avete letto: che cosa vi sorprende o non vi sorprende, che spiegazioni date di certi comportamenti, ecc...

4. Analisi del testo: lessico

Trova per ogni significato l'espressione corrispondente nei testi, come nell' esempio.

testo n°	espressione	significato
1		vecchia, non attuale
		spendere in modo eccessivo
		donne che si occupano della casa e della famiglia
2		donne che lavorano in un ufficio
		persone che non tradiscono
3		timidi, insicuri
	incapaci	non bravi, che non sanno fare qualcosa
4		esperienze negative
		decise, sicure
		fisso, solido, il contrario di "incerto"
5		migliorare la posizione nel lavoro
6		poco comuni, molto particolari

5. Analisi del testo: grammatica

a) Trova nelle 6 affermazioni e nei 6 testi dell'attività 2 tutti i comparativi di maggioranza (più) e di minoranza (meno) e completa la tabella come nell'esempio.

comparativo di maggioranza (più)	comparativo di minoranza (meno)
Le donne spendono più degli uomini.	

b) Osserva le frasi che hai scritto nella tabella. Perché in alcuni casi il comparativo si fa con "di" e in altri casi con "che"? Discutine con un compagno,

c) Nei 6 testi dell'attività 2 ci sono anche 2 superlativi relativi e 2 superlativi assoluti. Quali sono?

superlativo relativo	superlativo assoluto

6. Esercizio sui comparativi

Trasforma le frasi nel comparativo di minoranza o di maggioranza, come nell'esempio. Attenzione: il significato delle frasi non deve cambiare.

comparativo di maggioranza (più)	comparativo di minoranza (meno)
1. Le donne spendono più degli uomini.	1. *Gli uomini spendono meno delle donne.*
2. Gli uomini tradiscono più delle donne.	2.
3. Gli amori extramatrimoniali ora piacciono più a lei che a lui.	3.
4. …le casalinghe tradiscono più delle impiegate,	4.
5.	5. … le casalinghe tradiscono meno delle manager e delle attrici.
6.	6. In amore gli uomini sono meno sicuri delle donne.
7. …le donne che vengono da delusioni sentimentali hanno più successo di quelle innamorate e felicemente sposate.	7.
8. Per le donne è più conveniente lavorare con un capo uomo che con un capo donna.	8.
9. Le donne manager sono più preparate degli uomini manager.	9.

7. Produzione

A coppie scegliete uno dei 6 testi e inventate una situazione e un dialogo da mettere in scena. Poi, se volete, dopo aver verificato la correttezza grammaticale del vostro dialogo, rappresentatelo di fronte alla classe.

8. Ripassiamo

Completa i testi.

1. Gli uomini spendono più _____ donne.

L'immagine di lei che torna a casa con borse e pacchetti, mentre lui si sente male guardando il conto, oggi è superata. Infatti si è scoperto che adesso è l'uomo ad avere le mani bucate. L'italiano ama molto il bel vivere: viaggiare, vestirsi bene, giocare al casinò. A sorpresa, invece, le donne amano il risparmio e spendono poco.

2. Le donne tradiscono più _____ uomini.

Vi ricordate i mariti dalla doppia vita, che per anni si dividono fra la moglie e l'amante? Dimenticateli. Gli amori extramatrimoniali ora piacciono _____ a lei _____ a lui. Le donne italiane quando tradiscono possono dividersi tra marito e amante anche per 5 o 10 anni di seguito. Una curiosità: le casalinghe tradiscono più _____ impiegate, ma _____ _____ manager e _____ attrici.
Le _____ fedeli _____ tutte sono le cinquantenni e le sessantenni; cioè donne non giovanissime che invece di pensare ai nipotini, si trovano un amante.

3. In amore gli uomini sono meno sicuri _____ donne.

Gli uomini italiani hanno paura. Paura del confronto con altri uomini, della qualità delle loro prestazioni, e del giudizio delle loro compagne. Sono amanti passionali, ma anche imbarazzati e bugiardi, incapaci di parlare alla compagna delle loro paure. Mentre gli uomini sono in crisi, le donne italiane invece sono sempre più sicure di sé.

4. Nel lavoro le single hanno più successo _____ donne innamorate e felicemente sposate.

Nel lavoro vincono le single. Infatti si è visto che le donne che vengono da delusioni sentimentali hanno più successo _____ quelle innamorate e felicemente sposate. Di solito le donne sole concentrano tutte le energie sul lavoro e sono _____ più determinate a raggiungere il successo sociale. Invece le donne che hanno un partner stabile si dedicano soprattutto all'amore e alla famiglia.

5. Per le donne è _____ conveniente lavorare con un capo uomo _____ con un capo donna.

Altro che solidarietà femminile: sul lavoro le donne si fanno la guerra. In Italia sembra che se il capo è femmina le possibilità di fare carriera per una donna diminuiscono del 50%. In altre parole se una lavoratrice vuole far carriera deve augurarsi di avere come capo un uomo.

6. Le donne manager sono più preparate _____ uomini manager.

Le donne manager nelle aziende italiane sono bravissime, ma rare come mosche bianche. L`87% delle donne manager sono laureate e il 79% conosce perfettamente almeno una lingua straniera contro, rispettivamente, il 45% e il 60% dei dirigenti maschi.

9 Paese che vai lingua che trovi

1. Introduzione alla lettura

Confronta la lingua italiana con la tua: ci sono delle parole o delle espressioni che ti sorprendono, ti divertono, ti lasciano dubbioso? Trovi che l'italiano sia una lingua facile o difficile? Quali sono le maggiori difficoltà che hai incontrato nello studio di questa lingua? Parlane con un compagno.

2. Lettura con problema

Leggi l'articolo e rispondi alle seguenti domande:

a) Di quale dubbio linguistico si parla nell'articolo?
b) Quale spiegazione dà l'autore?

1 Una lettrice mi fa una domanda che, in un primo momento, mi sorprende. "Scusi tanto - scrive la lettrice - ma quante volte al giorno le succede di chiamarsi?"

Ci ho messo qualche secondo per capire che cosa voleva dire: l'espressione 5 della nostra lingua, "mi chiamo Piero" o "mi chiamo Egidio" è curiosa, e tutti ne facciamo uso senza pensarci, ma è impropria, poiché nessuno di noi chiama se stesso.

Non conosco l'origine dell'espressione, perché non sono un filologo, anche se immagino che tutto dipenda dall'interscambiabilità nei verbi fra forma passiva e 10 forma riflessiva. È un fatto che in tante altre lingue nessuno usa chiamare se stesso. Gli anglosassoni dicono: "Il mio nome è questo", e così si presentano in modo chiaro e preciso. Gli americani, in particolare, si preoccupano che l'altro capisca bene le generalità di chi si presenta, e sono pronti a sillabarle per evitare gli equivoci.

15 I tedeschi hanno un verbo per tradurre il nostro "chiamarsi": *heissen. Ich heisse Hans*, "Mi chiamo Hans". Espressione precisa e rigorosa come è tipico dei tedeschi, che non vogliono equivoci. I russi dicono: *Menià zavùt Igor*, "mi chiamano Igor", e in questo loro ricorrere alla terza persona plurale del verbo mi sembra di avvertire una certa passività, una certa rassegnazione. Mi chiamano Igor: 20 chi? Mah, chi sa: loro, gli altri.

Siamo noi latini a usare l'espressione che porta la lettrice a chiedermi quante volte al giorno mi succede di chiamarmi: "mi chiamo", "je m'appelle". Perché? Giro la domanda ai filologi e agli psicologi, per placare la curiosità della lettrice, e mia.

(da "Il Venerdì di Repubblica")

3. Analisi del testo: lessico

Trova per ogni significato l'espressione corrispondente nel testo, come nell'esempio.

righe	espressione del testo	significato
1-7		strana, particolare
		imprecisa, sbagliata
8-14		persona che studia la lingua in modo scientifico
	generalità	dati personali
15-24		fare lo spelling di una parola
		errori di comprensione
		calmare

4. Comprensione

Quali caratteristiche dei vari popoli rivela l'analisi delle lingue che fa l'autore dell'articolo? Rileggi il testo e discutine con un compagno.

americani

tedeschi

latini

russi

5. Analisi del testo: grammatica

Cerca nel testo le parole indicate nella tabella e scrivi nella terza colonna a che cosa si riferiscono.

riga n.	parola	si riferisce a
1	che	*domanda*
2	le	
5	ne	
13	sillabarle	
17	che	
21	che	
24	mia	

6. Gioco: tutto quello che avreste voluto sapere sulla lingua italiana e non avete mai osato chiedere!

Pensate a tutti i dubbi linguistici che avete incontrato nello studio dell'italiano e che non avete ancora risolto. Scrivete i dubbi su dei foglietti (un dubbio per ogni foglietto) e metteteli in un contenitore. Si formano due squadre, a turno un componente di ciascuna squadra prende dal contenitore un foglietto e lo legge. La squadra che riesce a risolvere il dubbio avrà un punto, se nessuno conosce la risposta si chiede aiuto all'insegnante.

7. Ripassiamo

Inserisci le parole al posto giusto nel testo.

**ci - che - che - che - filologo - generalità - impropria - le - le - mi - mi
mi - ne - nessuno - placare - si**

Una lettrice mi fa una domanda __________, in un primo momento, mi sorprende. "Scusi tanto - scrive la lettrice - ma quante volte al giorno __________ succede di chiamarsi?"
__________ ho messo qualche secondo per capire che cosa voleva dire: l'espressione della nostra lingua, "mi chiamo Piero" o "mi chiamo Egidio" è curiosa, e tutti __________ facciamo uso senza pensarci, ma è __________, poiché nessuno di noi chiama se stesso.
Non conosco l'origine dell'espressione, perché non sono un __________, anche se immagino che tutto dipenda dall'interscambiabilità nei verbi fra forma passiva e forma riflessiva. È un fatto che in tante altre lingue __________ usa chiamare se stesso. Gli anglosassoni dicono: "Il mio nome è questo", e così __________ presentano in modo chiaro e preciso. Gli americani, in particolare, si preoccupano che l'altro capisca bene le __________ di chi si presenta, e sono pronti a sillabar__ per evitare gli equivoci.
I tedeschi hanno un verbo per tradurre il nostro "chiamarsi": *heissen. Ich heisse Hans*, "Mi chiamo Hans". Espressione precisa e rigorosa come è tipico dei tedeschi, __________ non vogliono equivoci. I russi dicono: *Menià zavùt Igor*, "mi chiamano Igor", e in questo loro ricorrere alla terza persona plurale del verbo __________ sembra di avvertire una certa passività, una certa rassegnazione. Mi chiamano Igor: chi? Mah, chi sa: loro, gli altri. Siamo noi latini a usare l'espressione __________ porta la lettrice a chieder__ quante volte al giorno mi succede di chiamar__: "mi chiamo", "je m'appelle". Perché? Giro la domanda ai filologi e agli psicologi, per __________ la curiosità della lettrice, e mia.

10 Una domenica italiana

1. Introduzione alla lettura

Gira per la classe e intervista alcuni compagni. Completa la tabella con le loro risposte.

Nome studente intervistato	Qual è per te il giorno più bello della settimana?	Perché?	Come e con chi passi di solito questa giornata?	Fai un pranzo particolare? Che cosa mangi?

2. Lettura con problema

a) Leggi e completa l'articolo sulla domenica degli italiani con le espressioni mancanti.

I padri **I figli** **I nonni**

1 E il settimo giorno ognuno fa a modo suo. _______________ mettono in forno la lasagna, la domenica è soprattutto riposo, chiacchiere in famiglia, sapori antichi, in poche parole: *assaporare il tempo.* _______________ salgono in macchina, vanno in campagna, al ristorante tipico alla ricerca di sapori nuovi, di evasione, in
5 compagnia di vecchi amici, la parola d'ordine è: *recuperare il tempo.* _______________, insieme ai propri coetanei, girano per la città deserta e mangiano quello che capita, è obbligatorio divertirsi, ciò che conta è: *perdere tempo.* Questo è ciò che risulta dall'indagine "Gli italiani a tavola: come cambiano le abitudini della domenica".
10 La divisione tra generazioni è evidente: tre epoche della famiglia italiana si sovrappongono, quella più tradizionale, quella urbana, quella inquieta.

preferisce allontanarsi dalla città **passa la domenica a casa** **non pensa al "CHE COSA" ma al "CON CHI"**

Le risposte dei 640 italiani intervistati raccontano tre domeniche diverse, ma unite da una sola idea, che il giorno del non lavoro è speciale e va passato in modo speciale. Chi ha più di 50 anni _________________________________.
15 Il gusto della festa per loro è stare insieme ai parenti intorno alla tavola. Il pranzo è un rito tradizionale: piatti tipici, in genere si preferisce un menù ricco con lasagne o pasta preparata in casa, gran finale con le pastarelle.
Chi è della generazione di mezzo ___________________________, ma per questi italiani il momento più importante della giornata è la colazione che amano fare con
20 calma, in pigiama, con caffè, latte e biscotti. La giornata deve trascorrere senza regole e orari, la domenica deve essere soprattutto evasione; perciò via dalla città, con gli amici, per scoprire cibi che non si mangiano in settimana.
Chi ha fra i 20 e i 34 anni _________________________________. Il vero piacere della domenica è stare con le persone della propria stessa età. La giornata inizia con
25 l'aperitivo al bar, in attesa del pranzo o meglio del brunch che consumano in locali giovani e informali. Quello che conta non è il cibo ma, come i loro genitori, amano vedere gli amici attorno a una tavola e starci anche più di due ore.

b) Ora leggi l'ultima parte dell'articolo e cerca di capire che cosa non può mancare sulle tavole di tutti gli italiani la domenica (la soluzione è a pag. 169).

Solo una cosa unisce ancora queste tre domeniche degli italiani. Una cosa molto italiana. Una buona _______________ di _______________ non
30 può mancare sulle tavole dei nonni, su quelle dei papà e delle mamme e su quelle dei loro figli. *(da "la Repubblica")*

c) Hai capito? Ora confrontati con un compagno.

3. Comprensione

Che cosa amano fare gli italiani la domenica? Rileggi l'articolo e completa la tabella.

	dove vanno	con chi stanno	cosa mangiano
anziani			
adulti			
giovani			

4. Analisi del testo: lessico

Collega ogni espressione al giusto significato, come nell'esempio.

riga	espressione del testo	significato
2	**chiacchiere**	gustare, sentire
3	assaporare	che hanno la stessa età
5	recuperare	nervosa, agitata, poco tranquilla
6	coetanei	non troppo seri, non troppo eleganti
11	inquieta	riprendere, ritrovare
17	pastarelle	bevanda che si beve prima di mangiare
20	trascorrere	**discussioni leggere, poco importanti**
22	cibi	dolci tipici della domenica
25	aperitivo	cose da mangiare
26	informali	passare

5. Analisi del testo: grammatica

a) Osserva queste frasi e di' se le affermazioni sono vere o false.

riga	frase del testo	il significato della frase non cambia se sostituiamo:	vero	falso
6-7	mangiano quello che capita	quello che con ciò che	❍	❍
7	ciò che conta è: perdere tempo.	ciò che con quello che	❍	❍
8	Questo è ciò che risulta dall'indagine	ciò che con quello che	❍	❍
14	Chi ha più di 50 anni passa la domenica a casa	Chi con Ciò che	❍	❍
18	Chi è della generazione di mezzo preferisce allontanarsi dalla città	Chi con Ciò che	❍	❍
23	Chi ha fra i 20 e i 34 anni non pensa al "CHE COSA" ma al "CON CHI"	Chi con Ciò che	❍	❍
26	Quello che conta non è il cibo	Quello che con Ciò che	❍	❍

b) Nell'esercizio precedente c'erano 3 affermazioni false (righe 14, 18, 23). Infatti non è possibile sostituire "chi" con "ciò che" perché "chi" si riferisce a persone e "ciò che" a cose. È possibile invece sostituire "chi" con "quelli che", ma in questo caso la frase diventa plurale. Sai riscrivere le tre frasi con "quelli che"?

chi	quelli che
1. Chi ha più di 50 anni passa la domenica a casa	*Quelli che*____________
2. Chi è della generazione di mezzo preferisce allontanarsi dalla città	____________
3. Chi ha fra i 20 e i 34 anni non pensa al "CHE COSA" ma al "CON CHI"	____________

6. Gioco

Conoscete dei tipici primi piatti italiani? E secondi piatti? Contorni? Dolci? Formate delle squadre. Avete 5 minuti di tempo per riempire la tabella con il maggior numero di specialità italiane. Vince la squadra che ne trova di più.

primi piatti	secondi piatti	contorni	dolci

7. Produzione

Nell'articolo si parla delle abitudini domenicali degli italiani a tavola, divise per fasce di età. Sulla base di quello che hai letto e delle liste che hai fatto con la tua squadra, prova ad immaginare un menù tipico della domenica per ogni età.

nonni	genitori	figli

8. Lettura con problema

a) Copri la seconda metà della pagina. Di quale abitudine europea si parla in questo articolo? Leggilo e cerca di indovinare.

Il ***** è arrivato nelle città italiane cinque anni fa, per iniziativa di alcuni caffè storici e di qualche pasticciere intraprendente che lo hanno introdotto nei propri locali. Gli italiani hanno così scoperto questa nuova abitudine europea, diffusa soprattutto presso i giovani. Hanno cominciato ad apprezzare il piacere di svegliarsi tardi, prendere a casa un caffè e uscire per andare a sedersi a un tavolo più attraente di quello di un semplice bar, ma più informale di quello di un ristorante. Il successo è tale che un po' ovunque sono nati locali di questo tipo, dove il clima è rilassato e dove si può mangiare durante un arco di tempo che sta tra l'orario di una colazione tardiva e quello di un pranzo anticipato, tra le 11.30 e le 13.30. Anche il menù si adegua a questa originale fusione di pranzo e colazione e prevede una lunga serie di proposte salate e dolci con un vantaggio anche nel prezzo, che è superiore a quello di una colazione ma inferiore a quello di un pranzo.

(da "la Repubblica")

b) Hai capito? Confrontati con un compagno.

9. Comprensione

Nell'articolo precedente si parla dell'abitudine europea del brunch. Quali sono le principali caratteristiche del brunch? Quali sono le differenze tra brunch, colazione e pranzo? Rileggi l'articolo e poi confrontati con un compagno.

10. Ripassiamo

a) Scegli l'espressione giusta.

E il settimo giorno **ognuno / tutti / alcuni / qualcuno** fa a modo suo. I nonni mettono in forno la lasagna, la domenica è soprattutto riposo, chiacchiere in famiglia, sapori antichi, in poche parole: *assaporare il tempo*. I padri salgono in macchina, vanno in campagna, al ristorante tipico alla ricerca di sapori nuovi, di evasione, in compagnia di vecchi amici, la parola d'ordine è: *recuperare il tempo*.
I figli, insieme ai **suoi / propri /quelli /qualche** coetanei, girano per la città deserta e mangiano **chi / quelli che / questo che / quello che** capita, è obbligatorio divertirsi, **questo che / quello / ciò che / chi** conta è: *perdere tempo*.
Questo è che / Questo è ciò che / Quello è che / Quello è ciò che risulta dall'indagine "Gli italiani a tavola: come cambiano le abitudini della domenica".
La divisione tra generazioni è evidente: tre epoche della famiglia italiana si sovrappongono, **quella / questa che / ciò che / quella che** più tradizionale, **quella / questa che / ciò che / quella che** urbana, **quella / questa che / ciò che / quella che** inquieta.
Le risposte dei 640 italiani intervistati raccontano tre domeniche diverse, ma unite da una sola idea, che il giorno del non lavoro è speciale e va passato in modo speciale.
Questo che / Quelli che / Chi / Ciò che ha più di 50 anni passa la domenica a casa. Il gusto della festa per **chi / loro / questo / quelli che** è stare insieme ai parenti intorno alla tavola. Il pranzo è un rito tradizionale: piatti tipici, in genere si preferisce un menù ricco con lasagne o pasta preparata in casa, gran finale con le pastarelle.
Questo che / Quelli che / Chi / Ciò che è della generazione di mezzo preferisce allontanarsi dalla città, ma per **quelli / questi / qualche / quegli** italiani il momento più importante della giornata è la colazione che amano fare con calma, in pigiama, con caffè, latte e biscotti. La giornata deve trascorrere senza regole e orari, la domenica deve essere soprattutto evasione; perciò via dalla città, con gli amici, per scoprire cibi che non si mangiano in settimana.
Questo che / Quelli che / Chi / Ciò che ha fra i 20 e i 34 anni non pensa al "CHE COSA" ma al "CON **QUALCUNO / CHE / CHI / QUELLO**".
Il vero piacere della domenica è stare con le persone della propria stessa età.

La giornata inizia con l'aperitivo al bar, in attesa del pranzo o meglio del brunch che consumano in locali giovani e informali. **Quello che / Questo che / Chi / Quelli che** conta non è il cibo ma, come i loro genitori, amano vedere gli amici attorno a una tavola e starci anche più di due ore.
Solo una cosa unisce ancora **queste / questi / quelle che / quelle** tre domeniche degli italiani. Una cosa molto italiana. Una buona bottiglia di vino non può mancare sulle tavole dei nonni, su **quelle / queste / questi / quelli** dei papà e delle mamme e su quelle dei **suoi / loro / quelli / quei** figli.

b) Completa l'articolo con le parole della lista.

quello (5) - questa (2) - questo - qualche - alcuni - propri

Il brunch è arrivato nelle città italiane cinque anni fa, per iniziativa di ____________ caffè storici e di ________________ pasticciere intraprendente che lo hanno introdotto nei ________________ locali. Gli italiani hanno così scoperto ______________ nuova abitudine europea, diffusa soprattutto presso i giovani. Hanno cominciato ad apprezzare il piacere di svegliarsi tardi, prendere a casa un caffè e uscire per andare a sedersi a un tavolo più attraente di ____________ di un semplice bar, ma più informale di ________________ di un ristorante.
Il successo è tale che un po' ovunque sono nati locali di ______________ tipo, dove il clima è rilassato e dove si può mangiare durante un arco di tempo che sta tra l'orario di una colazione tardiva e ________________ di un pranzo anticipato, tra le 11.30 e le 13.30. Anche il menù si adegua a ______________ originale fusione di pranzo e colazione e prevede una lunga serie di proposte salate e dolci con un vantaggio anche nel prezzo, che è superiore a ____________ di una colazione ma inferiore a ______________ di un pranzo.

11 Mestieri d'Italia

1. Gioco

Formate delle squadre. Avete due minuti di tempo per scrivere in italiano il maggior numero possibile di nomi di mestieri. Vince la squadra che ne trova di più.

2. Lettura

Leggi questo articolo.

Mestieri d'Italia

1 C'era una volta la fantesca, che governava in cucina e preparava torte profumate. Qualche volta si arrabbiava, ma non faceva mai la spia. Oggi ci sono le baby-sitter, che danno da mangiare ai bambini le merendine del supermercato e dicono tutto a mamma, 5 per contratto.

I tempi cambiano. Sul mercato del lavoro sono entrate nuove professioni mai sentite prima, come il bioinformatico e il progettista di software, e tuttavia resistono ancora i mestieri di un'Italia che non c'è più, come il calzolaio e l'arrotino.

10 La nuova classificazione dà la fotografia di un paese impegnato in attività del "passato", come il telegrafista, e in nuove avventure, come quelle del cablografista. Dai vetturini con carrozzella che portano a spasso i turisti per Roma (e che non cambierebbero mai lavoro) al giovane esperto in grafica web e che non fa niente 15 senza il computer, sono 6.761 i mestieri riconosciuti in Italia.

Nel lungo elenco i mestieri informatici e telematici si moltiplicano, ma resistono anche i lavori tradizionali, così si possono ancora trovare la bambinaia e la sarta, ed entrano nuove figure professionali come l'esperto di tecnologie digitali, l'esperto del 20 tempo libero e l'organizzatore di feste.

Ricco il settore dell'istruzione, che comprende anche istruttori di free-climbing e di aerobica. Inoltre, in un mondo dove l'immagine è tutto, non sono scomparsi l'istruttore di portamento e quello di galateo.

25 Insomma, per concludere con una battuta, potremmo dire che il passato è ancora tra noi, ma il futuro è già qui.

(da "la Repubblica")

3. Analisi del testo: lessico

a) Trova nell'articolo tutti i nomi che indicano un mestiere, e poi inseriscili nelle tabelle, dividendoli in "mestieri tradizionali" e "mestieri moderni".

b) Collega ogni mestiere con la definizione gusta, come nell'esempio.

riga	mestiere	cosa fa
1	**1. la fantesca** → c	a. ripara i coltelli
9	2. il calzolaio	b. insegna le "buone maniere"
9	3. l'arrotino	**c. cucina e fa le pulizie in casa**
11	4. il telegrafista	d. sorveglia i bambini piccoli
12	5. il vetturino (vetturini)	e. insegna a muoversi con eleganza
18	6. la bambinaia	f. manda messaggi con il telegrafo
18	7. la sarta	g. ripara le scarpe
23	8. l'istruttore di portamento	h. conduce la carrozza con i cavalli
24	9. l'istruttore di galateo	i. fa o ripara i vestiti

4. Analisi del testo: grammatica

a) Trova nel testo tutte le frasi con gli avverbi "ancora", "già", "mai", "più", e scrivile nella tabella.

ancora	già	mai	più

b) Insieme a un compagno, osserva le frasi e rifletti sul diverso uso di "ancora", "già", "mai", "più".

5. Esercizio su "mai" e "ancora"

Scrivi il contrario di queste frasi, cambiando gli avverbi "mai" e "ancora".

1. non faceva mai la spia ➤ ______________________________
2. non cambierebbero mai lavoro ➤ ______________________________
3. si possono ancora trovare la bambinaia e la sarta ➤ ______________________________
4. il passato è ancora tra noi ➤ ______________________________

6. Produzione orale

Nel tuo Paese ci sono mestieri che stanno scomparendo? Quali? E quali sono le professioni "emergenti"? Parlane con un compagno.

7. Ripassiamo

Completa il testo con gli avverbi "ancora", "già", "mai", "più".

C'era una volta la fantesca, che governava in cucina e preparava torte profumate. Qualche volta si arrabbiava, ma non faceva ________ la spia.
Oggi ci sono le baby-sitter, che danno da mangiare ai bambini le merendine del supermercato e dicono tutto a mamma, per contratto.
I tempi cambiano. Sul mercato del lavoro sono entrate nuove professioni ________ sentite prima, come il bioinformatico e il progettista di software, e tuttavia resistono ________ i mestieri di un'Italia che non c'è ________, come il calzolaio e l'arrotino.
La nuova classificazione dà la fotografia di un paese impegnato in attività del "passato", come il telegrafista, e in nuove avventure, come quelle del cablografista. Dai vetturini con carrozzella che portano a spasso i turisti per Roma (e che non cambierebbero ________ lavoro) al giovane esperto in grafica web e che non fa niente senza il computer, sono 6.761 i mestieri riconosciuti in Italia.
Nel lungo elenco i mestieri informatici e telematici si moltiplicano, ma resistono anche i lavori tradizionali, così si possono ________ trovare la bambinaia e la sarta, ed entrano nuove figure professionali come l'esperto di tecnologie digitali, l'esperto del tempo libero e l'organizzatore di feste.
Ricco il settore dell'istruzione, che comprende anche istruttori di free-climbing e di aerobica. Inoltre, in un mondo dove l'immagine è tutto, non sono scomparsi l'istruttore di portamento e quello di galateo.
Insomma, per concludere con una battuta, potremmo dire che il passato è ________ tra noi, ma il futuro è ________ qui.

12 Il lavoro del domani

1. Lettura con problema

Completa l'intervista al sociologo del lavoro Domenico De Masi inserendo le domande nell'ordine giusto.

Le domande

n° _ Aumenteranno i lavori di tipo intellettuale e collettivo?

n° _ Come sarà il futuro?

n° _ Quale sarà il protagonista nel panorama dei nuovi mestieri?

n° _ Professor De Masi, quali mestieri faranno gli italiani nel futuro?

n° _ Dove dovrà investire l'Italia?

L'intervista

Idee, bellezza, notizie: il nostro futuro è qui

1)____

"Tutti, quelli manuali e quelli intellettuali, ma diminuiranno le professioni svolte dal singolo, lo scienziato produrrà in grandi laboratori e l'artista in equipe."

2)____

"Sì, ma resteranno delle attività umane che non possono fare a meno del singolo. Ci sarà sempre una persona che pulirà un malato terminale, come avviene da secoli, e qualcuno che nutrirà un bambino."

3)____

"Andiamo verso attività molto creative. Da un lato, i lavori esecutivi saranno sempre più delegati alle macchine, basti pensare che quello che faceva il cassiere di banca ora lo fa il bancomat. Dall'altro, la tecnologia non riuscirà ad eliminare le attività creative, perché le macchine non potranno sostituire l'immaginazione, la fantasia, l'intelligenza dell'essere umano."

4)____

"L' Italia dovrà continuare a produrre idee in tre settori: primo, scienza e tecnica. Progettare aerei, auto, biotecnologie. Secondo, l'estetica, e l'Italia potrà continuare ad andar forte perché produce moda, design, cinema. Il terzo settore sintetizza i due precedenti, e cioè l'informazione. Nel futuro ci sarà sicuramente spazio per tutti i mestieri legati alla comunicazione."

5)____

"Il tempo libero. Aumenterà sempre di più e nasceranno delle professioni legate alla richiesta. L'Italia è il terzo paese al mondo per turismo, ci sono spiagge, scavi archeologici, ricchezze culturali e artistiche. Il futuro del lavoro è l'ozio creativo."

(da "la Repubblica")

2. Comprensione

Decidi se le affermazioni sono vere o false. Poi confrontati con un compagno e spiega perché.

Secondo il Professor De Masi nel futuro:	vero	falso
a) non ci sarà più bisogno dei lavori individuali	❍	❍
b) la tecnologia sostituirà la creatività	❍	❍
c) la comunicazione avrà una grande importanza	❍	❍
d) le persone lavoreranno di meno	❍	❍

3. Analisi del testo: grammatica

Sottolinea nell'intervista (domande e risposte) tutti i verbi al futuro semplice. Poi scrivili nella tabella insieme all'infinito.

futuro semplice			
futuro	infinito	futuro	infinito

4. Produzione orale

A coppie, divertitevi a immaginare una nuova professione mai sentita prima, una professione del futuro. Poi confrontate la vostra idea con quella dei vostri compagni e stabilite qual è la professione più originale.

5. Produzione scritta

Lavora con lo stesso compagno di prima. Siete dei datori di lavoro e state cercando delle persone proprio per svolgere la nuova professione che avete immaginato. Scrivete il vostro annuncio di lavoro.

6. Ripassiamo

Coniuga i verbi al futuro e mettili al posto giusto nel testo (non sono in ordine).

aumentare – aumentare - diminuire – dovere – dovere – essere - essere
essere – essere – essere - fare – nascere - nutrire – potere – potere
produrre – pulire – restare - riuscire

Professor De Masi, quali mestieri _____________ gli italiani nel futuro?

"Tutti, quelli manuali e quelli intellettuali, ma _____________ le professioni svolte dal singolo, lo scienziato _____________ in grandi laboratori e l'artista in equipe."

_____________ i lavori di tipo intellettuale e collettivo?

"Sì, ma _____________ delle attività umane che non possono fare a meno del singolo. Ci _____________ sempre una persona che _____________ un malato terminale, come avviene da secoli, e qualcuno che _____________ un bambino."

Come _____________ il futuro?

"Andiamo verso attività molto creative. Da un lato, i lavori esecutivi _____________ sempre più delegati alle macchine, basti pensare che quello che faceva il cassiere di banca ora lo fa il bancomat. Dall'altro, la tecnologia non _____________ ad eliminare le attività creative, perché le macchine non _____________ sostituire l'immaginazione, la fantasia, l'intelligenza dell'essere umano."

Dove _____________ investire l'Italia?

"L' Italia _____________ continuare a produrre idee in tre settori: primo, scienza e tecnica. Progettare aerei, auto, biotecnologie. Secondo, l'estetica, e l'Italia _____________ continuare ad andar forte perché produce moda, design, cinema. Il terzo settore sintetizza i due precedenti, e cioè l'informazione. Nel futuro ci _____________ sicuramente spazio per tutti i mestieri legati alla comunicazione."

Quale _____________ il protagonista nel panorama dei nuovi mestieri?

"Il tempo libero. _____________ sempre di più e _____________ delle professioni legate alla richiesta. L'Italia è il terzo paese al mondo per turismo, ci sono spiagge, scavi archeologici, ricchezze culturali e artistiche. Il futuro del lavoro è l'ozio creativo."

13 Telefonini, che passione

1. Introduzione alla lettura

Leggi la frase qui sotto e, insieme a un compagno, fai ipotesi sul seguito.

Una mia amica americana diceva che se ascolti gli italiani che parlano al telefonino, scoprirai che l'argomento delle loro conversazioni è…

2. Lettura con problema

Ora leggi l'articolo e scopri di cosa parlano gli italiani al telefonino.

Una mia amica americana diceva che se ascolti gli italiani che parlano al telefonino, scoprirai che l'argomento delle loro conversazioni è il cibo.
In effetti succede di sentire uomini d'affari che parlano apparentemente impegnati in telefonate molto serie, ma che in realtà dicono: "Sì, mamma. Certo che ho mangiato. Ho mangiato *spaghetti all'amatriciana*." O quelli sposati che parlano con la moglie: "No, amore, ho mangiato un panino al volo. Stasera cosa si mangia?"
Bisogna ammettere però che il telefonino ha salvato gli italiani da una brutta situazione. Treni in ritardo. Mezzi pubblici pure. Scioperi. Traffico fermo. In questo quadro, senza il telefonino organizzare il pranzo è difficile, mamme, fidanzate e fidanzati rischiano di scuocere la pasta!
Invece, grazie al telefonino, si programmano pranzi e cene in perfetto orario. Per spiegarmi la passione italiana per i telefonini non trovo teoria migliore che quella gastronomica, credo dipenda dalla predilezione degli italiani per il mangiar bene. È importante abbinare la pasta giusta al sugo giusto e i vini adeguati a tutto il resto.
Inoltre mamme e papà italiani comprano ai propri figli adolescenti il telefonino per poterli rintracciare in ogni momento. Mia madre ha apprezzato il cellulare che le ha regalato suo marito, lo trova interessante per la sicurezza "Se si ferma l'auto per strada, si può chiedere subito soccorso." Per ora non l'ha mai usato.
Gli italiani invece lo usano ovunque: in cima alle montagne, a tavola, in macchina, a letto, mentre viaggiano. Lo dimostrano le due signore che sono state denunciate perché parlavano al cellulare durante l'atterraggio dell'aereo su cui viaggiavano.
Per fortuna qualcuno ha capito che occorreva educare la gente all'uso del cellulare e ha pubblicato un manualetto pieno di consigli importanti come: "Non si deve mai appoggiare il telefonino sulla tovaglia come un pezzo di pane" oppure "Poche chiacchiere, comunicazioni essenziali."
Infatti, molte telefonate sono diventate telegrafiche: "Sto arrivando. Butta la pasta."

(da "Il Venerdì di Repubblica")

3. Comprensione

a) Rileggi l'articolo e completa la tabella.

gli italiani e il telefonino	
di cosa parlano	
perché lo usano	
dove lo usano	

b) Rispondi alla domanda. Poi confrontati con un compagno e motiva la tua risposta.

Secondo te, com'è il tono generale dell'articolo?

serio ❍ ironico ❍ triste ❍ moralistico ❍
freddo ❍ drammatico ❍ altro: _______________ ❍

4. Analisi del testo: lessico

Collega ogni espressione al giusto significato, come nell'esempio.

riga	espressione del testo	significato
7	**al volo** →	salsa
11	scuocere	preferenza, passione
15	predilezione	piccolo libro di istruzioni
16	abbinare	trovare, raggiungere
17	sugo	cuocere troppo
18	adolescenti	→ **in fretta**
19	rintracciare	in ogni posto, dappertutto
23	ovunque	collegare
23	in cima	discesa, arrivo a terra
25	atterraggio	sopra, in alto
28	manualetto	sotto i 16 anni

5. Produzione orale

Hai un telefono cellulare? Sì/No, per quali ragioni? Nel tuo Paese l'uso dei telefoni cellulari è molto diffuso? Sì/No, per quali ragioni? Parlane con un compagno.

6. Analisi del testo

a) Prendi in considerazione tutti i "che" contenuti nell'articolo: sottolinea il "che" pronome relativo e fai un cerchio intorno al "che" congiunzione. Ricorda: "che" è pronome relativo quando si riferisce a qualcosa che è stato detto prima.

b) Ora ricopia nella tabella le frasi che contengono "che" pronome relativo e scrivi nella colonna di destra a quale parola si riferisce ogni volta "che", come nell'esempio.

frasi del testo	"che" si riferisce a
se ascolti gli italiani che parlano al telefonino	*gli italiani*

c) Nell'articolo che hai letto, oltre a "che" c'è un altro pronome relativo. Qual è?

7. Esercizio sul discorso diretto e indiretto

a) Sottolinea nel testo tutte le frasi al discorso diretto.

b) Scegli il verbo giusto per trasformare le frasi dal discorso diretto al discorso indiretto.

tempo	discorso diretto	discorso indiretto
presente	1. Un uomo d'affari dice alla mamma: "Sì, mamma. Ho mangiato spaghetti all'amatriciana"	1. Un uomo d'affari dice alla mamma che *mangia / ha mangiato / mangiava* spaghetti all'amatriciana.
passato	2. Un uomo d'affari ha detto alla mamma: "Sì, mamma. Ho mangiato spaghetti all'amatriciana"	2. Un uomo d'affari ha detto alla mamma che *mangia / mangiava / aveva mangiato* spaghetti all'amatriciana.
presente	3. Un marito dice alla moglie: "No, amore, ho mangiato un panino al volo. Stasera cosa si mangia?"	3. Un marito dice alla moglie che *mangia / ha mangiato / mangiava* un panino al volo e le chiede cosa si *è mangiato / mangerà / mangerebbe* la sera.
passato	4. Un marito ha detto alla moglie: "No, amore, ho mangiato un panino al volo. Stasera cosa si mangia?"	4. Un marito ha detto alla moglie che *mangia / mangiava / aveva mangiato* un panino al volo e le ha chiesto cosa si *mangerà / mangerebbe / sarebbe mangiato* la sera.
presente	5. La madre dice al giornalista: "Se si ferma l'auto per strada, si può chiedere subito soccorso."	5. La madre dice al giornalista che se si ferma l'auto per strada, si *può / poteva / è potuto* chiedere subito soccorso.
passato	6. La madre ha detto al giornalista: "Se si ferma l'auto per strada, si può chiedere subito soccorso."	6. La madre ha detto al giornalista che se si fosse fermata l'auto per strada, si *potrà / potrebbe / sarebbe potuto* chiedere subito soccorso.
presente	7. Un italiano dice alla moglie: "Sto arrivando. Butta la pasta."	7. Un italiano dice alla moglie che *sta arrivando / stava arrivando / arrivava* e le ordina di buttare la pasta.
passato	8. Un italiano ha detto alla moglie: "Sto arrivando. Butta la pasta."	8. Un italiano ha detto alla moglie che *sta arrivando / stava arrivando / era arrivato* e le ha ordinato di buttare la pasta.

8. Ripassiamo

a) In questa parte del testo mancano 5 "che". Inseriscili al posto giusto.

Una mia amica americana diceva che se ascolti gli italiani parlano al telefonino, scoprirai l'argomento delle loro conversazioni è il cibo.
In effetti succede di sentire uomini d'affari parlano apparentemente impegnati in telefonate molto serie, ma che in realtà dicono: "Sì, mamma. Certo che ho mangiato. Ho mangiato *spaghetti all'amatriciana*." O quelli sposati parlano con la moglie: "No, amore, ho mangiato un panino al volo. Stasera cosa si mangia?"
Bisogna ammettere però il telefonino ha salvato gli italiani da una brutta situazione. Treni in ritardo. Mezzi pubblici pure. Scioperi. Traffico fermo.
In questo quadro, senza il telefonino organizzare il pranzo è difficile, mamme, fidanzate e fidanzati rischiano di scuocere la pasta!

b) Completa il testo con i pronomi.

Inoltre mamme e papà italiani comprano ai propri figli adolescenti il telefonino per poter__ rintracciare in ogni momento. Mia madre ha apprezzato il cellulare che ___ ha regalato suo marito, ___ trova interessante per la sicurezza "Se ___ ferma l'auto per strada, si può chiedere subito soccorso." Per ora non ___ ha mai usato.
Gli italiani invece ___ usano ovunque: in cima alle montagne, a tavola, in macchina, a letto, mentre viaggiano. ___ dimostrano le due signore che sono state denunciate perché parlavano al cellulare durante l'atterraggio dell'aereo su cui viaggiavano.
Per fortuna qualcuno ha capito che occorreva educare la gente all'uso del cellulare e ha pubblicato un manualetto pieno di consigli importanti come: "Non ___ deve mai appoggiare il telefonino sulla tovaglia come un pezzo di pane" oppure "Poche chiacchiere, comunicazioni essenziali."
Infatti, molte telefonate sono diventate telegrafiche: "Sto arrivando. Butta la pasta."

9. Produzione scritta

In coppia, inventate una possibile conversazione telefonica (al cellulare) tra due italiani. Poi, se volete, dopo aver verificato la correttezza grammaticale del dialogo, rappresentatelo davanti alla classe.

10. Lettura con problema

Leggi quest'altro articolo e cerca di capire qual è l'opinione dell'autore riguardo all'uso del telefonino, spiegando anche perché.

Il genere umano può subire trasformazioni, però si divide pur sempre nelle categorie dei bene educati e di coloro che, con termine un po' forte, si possono definire cafoni. Anzi i telefonini sono molto utili per distinguere gli uni dagli altri.
I bene educati che posseggono un telefonino è come se non lo avessero. Voglio dire che difficilmente ci si accorge che ce l'hanno. A essere sinceri il processo di civilizzazione non è per niente veloce: esistono pur sempre esemplari umani di buona famiglia che in compagnia di amici o nella casa in cui amici generosi li hanno ricevuti, interrompono la loro conversazione per estrarre l'aggeggio con il quale si mettono a parlare con chi sa chi.
I bene educati si servono di un mezzo particolare: la segreteria telefonica. Chi chiama è depistato in segreteria, senza disturbo per chi è chiamato e per le persone intorno a lui. Gli altri, i maleducati, sono facilmente riconoscibili perché portano scompiglio nell'ambiente in cui si trovano, fanno rumore, obbligano gli estranei ad ascoltare il racconto dei loro fatti personali. Ci sono poi quelli che usano il cellulare mentre camminano da soli sulla pubblica via. In teoria non disturbano nessuno, quindi non infrangono la prima regola della buona educazione. Tuttavia c'è qualcosa di disdicevole in questo comportamento: come tagliarsi le unghie in pubblico o annodarsi la cravatta davanti a estranei. Col passare del tempo sono sicuro che i parlatori di strada diventeranno sempre piú rari, riducendosi agli elementi più rozzi della popolazione.
Non c'è dubbio: si può essere buoni cittadini anche se si possiede un telefono cellulare. Tutto sta a farne un uso corretto.

(da "Il Venerdì di Repubblica")

- Riguardo all'uso del telefonino l'autore è:

favorevole	❍	entusiasta	❍
contrario	❍	indifferente	❍
favorevole solo a certe condizioni	❍	critico	❍

- Perché?

11. Comprensione

Rileggi l'articolo e cerca di capire quali sono secondo l'autore i comportamenti che distinguono i "ben educati" dai "maleducati" nell'uso del telefonino.

ben educati	maleducati

12. Produzione scritta

In coppia con un compagno, scrivi 10 regole per il buon uso del telefonino.

13. Ripassiamo

Scegli tutte le opzioni corrette tra quelle proposte (attenzione, possono essere anche più di una per ogni frase).

Il genere umano può subire trasformazioni, però si divide pur sempre nelle categorie dei bene educati e di coloro *che/i quali/cui,* con termine un po' forte, si possono definire cafoni. Anzi i telefonini sono molto utili per distinguere gli uni dagli altri.
I bene educati *che/il quale/cui* posseggono un telefonino è come se non lo avessero. Voglio dire che difficilmente ci si accorge che ce l'hanno. A essere sinceri il processo di civilizzazione non è per niente veloce: esistono pur sempre esemplari umani di buona famiglia *che/i quali/i cui* in compagnia di amici o nella casa *che/nella quale/in cui* amici generosi li hanno ricevuti, interrompono la loro conversazione per estrarre l'aggeggio con *che/il quale/cui* si mettono a parlare con chi sa chi. I bene educati si servono di un mezzo particolare: la segreteria telefonica. *Che/Chi/Il quale* chiama è depistato in segreteria, senza disturbo per chi è chiamato e per le persone intorno a lui. Gli altri, i maleducati, sono facilmente riconoscibili perché portano scompiglio nell'ambiente *che/nel quale/in cui* si trovano, fanno rumore, obbligano gli estranei ad ascoltare il racconto dei loro fatti personali. Ci sono poi quelli *che/i quali/cui* usano il cellulare mentre camminano da soli sulla pubblica via. In teoria non disturbano nessuno, quindi non infrangono la prima regola della buona educazione.
Tuttavia c'è qualcosa di disdicevole in questo comportamento: come tagliarsi le unghie in pubblico o annodarsi la cravatta davanti a estranei. Col passare del tempo sono sicuro che i parlatori di strada diventeranno sempre piú rari, riducendosi agli elementi più rozzi della popolazione. Non c'è dubbio: si può essere buoni cittadini anche se si possiede un telefono cellulare. Tutto sta a farne un uso corretto.

Un popolo di vanitosi

1. Lettura con problema

Leggi l'articolo e cerca di capire quali di questi argomenti sono trattati.

❍ lavoro	❍ bellezza	❍ terrorismo
❍ relazioni uomo/donna	❍ vacanze	❍ malattie
❍ comportamenti sociali	❍ psicologia	❍ forma fisica

La metà circa della popolazione italiana (48% secondo gli ultimi dati del Censis) si dedica al proprio corpo in maniera programmatica e attiva.
Le statistiche parlano chiaro: circa 28 milioni di uomini e donne tra i 18 e i 75 anni sono molto attenti al benessere fisico e il loro numero è in costante aumento.
Sempre più italiani infatti si iscrivono nelle palestre o frequentano i centri fitness. Cresce anche il numero di quelli che si rivolgono agli istituti di bellezza e che consumano prodotti cosmetici. E tra questi non ci sono più solo le donne, come si potrebbe pensare, ma anche moltissimi uomini.
Gli italiani, si sa, sono un popolo di vanitosi. Non ci si deve sorprendere, quindi, neanche del boom che negli ultimi tempi ha avuto la chirurgia estetica: gli italiani si rifanno il seno, il naso, la bocca, si riducono la pancia e si cambiano anche il taglio e il colore degli occhi! Non sempre, però, questi interventi sono veramente necessari e spesso hanno anche effetti indesiderati: qualcuno di voi certamente si ricorderà dell'attrice Carmen Di Pietro e del suo seno appena rifatto che esplose come una bomba sull'aereo tra Roma e Milano.
E che dire dei milioni di italiani che si sottopongono a diete ferree pur di perdere peso ed acquistare una linea perfetta come i divi del cinema o della tv? Quasi sempre, in questi casi, dopo qualche settimana di illusorio dimagrimento, si ritorna ad avere più kg di prima.
Un'altra ricerca ha analizzato quali sono le parti del corpo che gli italiani curano di più. I risultati sono interessanti: al primo posto il viso (86 minuti a settimana), al secondo i capelli (85); seguono le gambe (73), la pancia (60), le mani e i piedi (59), le braccia, la schiena e il torace (58), gli occhi (41), le labbra (34). In questo caso le donne, con 8 ore a settimana dedicate alla cura del corpo, precedono ancora nettamente gli uomini (5 ore).

(da "Il Messaggero")

2. Comprensione

L'articolo descrive alcune delle cose che gli italiani fanno per la cura del corpo. Rileggi il testo e scrivi quali sono.

Gli italiani	*si iscrivono nelle palestre* _____ _____ _____ _____

3. Analisi del testo: lessico

Trova nell'articolo tutti i nomi che indicano parti del corpo e poi scrivili al posto giusto nel disegno, come negli esempi.

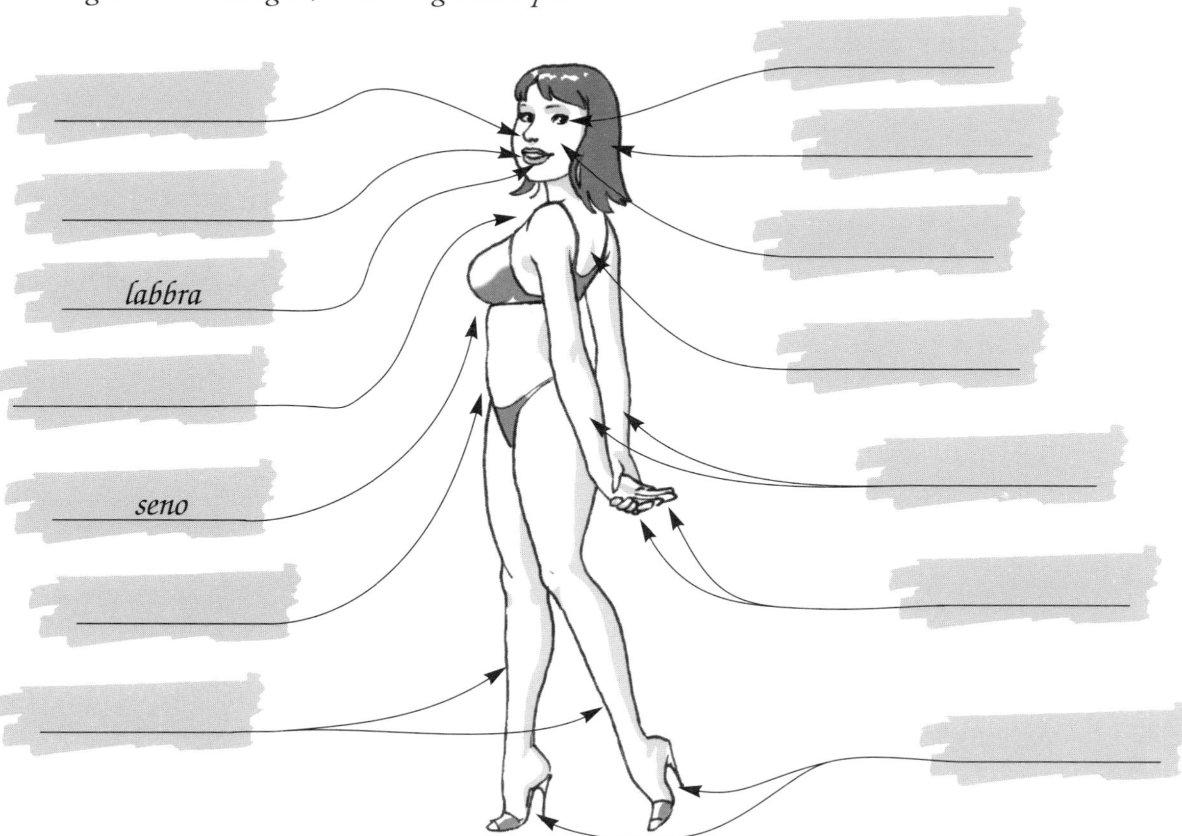

4. Esercizio sui nomi irregolari

Completa la tabella.

singolare	plurale
il seno	
il naso	
la bocca	
la pancia	
	gli occhi
il viso	
	i capelli
	le gambe
	le mani
	i piedi
	le braccia
la schiena	
il torace	
	le labbra
l'orecchio	
l'uomo	

5. Questionario

E tu come ti comporti? Rispondi al questionario. Poi confrontati con un compagno.

1. In media quanto tempo al giorno dedichi alla cura del tuo corpo?

❍ meno di un'ora ❍ da una a due ore ❍ da due a tre ore ❍ più di tre ore

2. A quale parte del tuo corpo dedichi più tempo?

❍ viso ❍ capelli ❍ mani e piedi ❍ gambe
❍ occhi ❍ bocca ❍ altro: ______________

3. Usi prodotti particolari per la cura del tuo corpo?

❍ sì, molti ❍ sì, qualcuno ❍ no, nessuno

4. Fai sport?

❍ sì, molto ❍ sì, un po' ❍ no, molto raramente ❍ no, mai

5. Stai attento/a a quello che mangi?

❍ sì, sempre ❍ sì, ogni tanto ❍ no, molto raramente ❍ no, mai

6. Hai mai fatto una dieta?

❍, sì, più di una volta ❍ sì, una volta ❍ no, mai

7. Sei favorevole o contrario/a alla chirurgia plastica?

❍ favorevole ❍ dipende ❍ contrario/a

8. Sei favorevole o contrario/a al tatuaggio?

❍ favorevole ❍ dipende ❍ contrario/a

9. Sei favorevole o contrario/a al piercing?

❍ favorevole ❍ dipende ❍ contrario/a

10. Quale parte del corpo guardi subito quando vedi una persona per la prima volta?

❍ gli occhi ❍ la bocca ❍ il viso in generale ❍ le mani
❍ le gambe ❍ i capelli ❍ le spalle
❍ altro: __________________

6. Analisi del testo: grammatica

Trova nell'articolo tutti i verbi riflessivi, i verbi impersonali e i verbi riflessivi impersonali e mettili al posto giusto nella tabella, come nell'esempio.

verbi riflessivi	verbi impersonali	verbi riflessivi e impersonali
si dedica		

7. Produzione scritta

In piccoli gruppi, scrivete le 10 regole che secondo voi bisogna seguire per fare una vita sana ed equilibrata.

8. Lettura

Ora confrontate le vostre regole con quelle del testo qui sotto.

Le dieci regole per vivere meglio

1. Praticate un po' di sport. Ma state attenti: non concentrate tutto il movimento in un solo giorno della settimana, dedicate all'attività fisica almeno mezz'ora ogni giorno.

2. Fate attenzione a cosa mangiate. Consumate cibi biologici e naturali.

3. Bevete con moderazione. In particolare non bevete troppo alcool o bevande troppo gassate.

4. Mangiate con calma. Almeno una volta al giorno, sedetevi a tavola e prendetevi il tempo necessario per gustare quello che mangiate.

5. Andate dal medico regolarmente per controlli ed esami periodici. Ricordate: prevenire è meglio che curare!

6. Evitate sostanze chimiche, prendete le medicine solo quando è veramente necessario.

7. Abbiate rispetto del vostro corpo e imparate a rilassarvi. Non fate mai il passo più lungo della gamba. Prendetevi spesso dei brevi periodi di vacanza durante l'anno.

8. Non andate a letto troppo tardi e dormite almeno 8 ore a notte.

9. Non fumate.

10. Non seguite tutte queste regole alla lettera, ma ogni tanto concedetevi qualche trasgressione!

(da "Panorama")

9. Analisi del testo: lessico

Trova nel testo precedente le espressioni che corrispondono ai seguenti significati.

a) fare una cosa superiore alle proprie forze ➤ ______________________________

b) eseguire un'indicazione in modo troppo rigido, come un dogma indiscutibile ➤ ______________________________

10. Esercizio sull'imperativo

Riscrivi le 10 regole usando la 2ª persona singolare (tu), come nell'esempio.

voi	tu
1. Praticate un po' di sport. Ma state attenti: non concentrate tutto il movimento in un solo giorno della settimana, dedicate all'attività fisica almeno mezz'ora ogni giorno.	1. *Pratica un po' di sport. Ma...*
2. Fate attenzione a cosa mangiate. Consumate cibi biologici e naturali.	2.
3. Bevete con moderazione. In particolare non bevete troppo alcool o bevande troppo gassate.	3.
4. Mangiate con calma. Almeno una volta al giorno, sedetevi a tavola e prendetevi il tempo necessario per gustare quello che mangiate.	4.
5. Andate dal medico regolarmente per controlli ed esami periodici. Ricordate: prevenire è meglio che curare!	5.
6. Evitate sostanze chimiche, prendete le medicine solo quando è veramente necessario.	6.
7. Abbiate rispetto del vostro corpo e imparate a rilassarvi. Non fate mai il passo più lungo della gamba. Prendetevi spesso dei brevi periodi di vacanza durante l'anno.	7.
8. Non andate a letto troppo tardi e dormite almeno 8 ore a notte.	8.
9. Non fumate.	9.
10. Non seguite tutte queste regole alla lettera, ma ogni tanto concedetevi qualche trasgressione!	10.

11. Ripassiamo

In questo articolo manca 11 volte il pronome "si" (riflessivo o impersonale) e 1 volta il pronome "ci si" (riflessivo + impersonale). Inseriscili dove è necessario.

La metà circa della popolazione italiana (48% secondo gli ultimi dati del Censis) dedica al proprio corpo in maniera programmatica e attiva.
Le statistiche parlano chiaro: circa 28 milioni di uomini e donne tra i 18 e i 75 anni sono molto attenti al benessere fisico e il loro numero è in costante aumento.
Sempre più italiani infatti iscrivono nelle palestre o frequentano i centri fitness. Cresce anche il numero di quelli che rivolgono agli istituti di bellezza e che consumano prodotti cosmetici. E tra questi non ci sono più solo le donne, come potrebbe pensare, ma anche moltissimi uomini.
Gli italiani, sa, sono un popolo di vanitosi. Non deve sorprendere, quindi, neanche del boom che negli ultimi tempi ha avuto la chirurgia estetica: gli italiani rifanno il seno, il naso, la bocca, riducono la pancia e cambiano anche il taglio e il colore degli occhi! Non sempre, però, questi interventi sono veramente necessari e spesso hanno anche effetti indesiderati: qualcuno di voi certamente ricorderà dell'attrice Carmen Di Pietro e del suo seno appena rifatto che esplose come una bomba sull'aereo tra Roma e Milano.
E che dire dei milioni di italiani che sottopongono a diete ferree pur di perdere peso ed acquistare una linea perfetta come i divi del cinema o della tv? Quasi sempre, in questi casi, dopo qualche settimana di illusorio dimagrimento, ritorna ad avere più kg di prima.

12. Inventare una pubblicità

Dividetevi in gruppi. Ogni gruppo rappresenta un'agenzia pubblicitaria che sta per lanciare sul mercato un nuovo prodotto di bellezza. Inventate il nome del prodotto, lo slogan e il testo da mandare in onda sulle radio nazionali. Poi registrate lo spot su un'audiocassetta.

15 Matrimonio all'italiana

1. Lettura con problema

Leggi l'articolo e poi scegli, tra i titoli proposti, quello che ti sembra più appropriato.

Titoli

- ❍ Matrimoni: viva la sincerità!
- ❍ Matrimoni più lunghi se la coppia è sincera.
- ❍ Matrimoni più lunghi se la coppia è bugiarda.
- ❍ Bugie e matrimonio: gli uomini mentono più delle donne.
- ❍ Piccoli e grandi peccati: è meglio dire tutto.
- ❍ Le bugie uccidono il matrimonio.
- ❍ La verità fa bene alla coppia.
- ❍ Gli italiani: un popolo di gelosi e bugiardi.

Titolo:____

1 Chi pensa che lealtà, sincerità, onestà siano qualità basilari in un rapporto di coppia, è meglio che cambi idea. Sbaglia. Il matrimonio si basa sulla menzogna. Allora mentite, mentite, mentite. Così la vita di coppia durerà in media cinque anni in più. L'amara verità sul tradimento porterà invece alla rottura con una probabilità del 78%. Dunque la sincerità non 5 paga. Questo è quello che risulta da un sondaggio sugli italiani e il matrimonio realizzato dall'Associazione italiana psicologi.

"È vero - commenta Willy Pasini, psichiatra e sessuologo - le bugie possono evitare traumi alla coppia. Credo che ognuno abbia diritto al proprio *giardino segreto*, da gestire con buon senso."

10 Pasini ritiene inoltre che il concetto di coppia si presenti al terzo millennio profondamente modificato rispetto al passato. "Adesso la filosofia della coppia è *liberi insieme* – spiega – prima si è individui e poi partner."

Di idee diverse è la scrittrice Margaret Mazzantini, la quale pensa che la menzogna non aiuti nessuno e che all'interno della coppia ognuno debba prendersi le proprie responsabi-15 lità. "Non amo che il mio partner mi dica bugie, preferisco che mi parli sinceramente, sempre, anche se questo in alcuni casi significa ascoltare delle verità sgradevoli."

Eppure, secondo la maggior parte degli esperti, per evitare contrasti e spiacevoli discussioni, pare sia meglio tacere anche i piccoli peccati. Persino la sincerità nei momenti più banali della vita quotidiana sembra che faccia male all'armonia di coppia.

20 Mai confessare alla propria moglie di vederla poco elegante; mentre se lui apprezza il look di un'altra, il litigio è inevitabile. Naturalmente è sconsigliabile mettere in dubbio la leadership dell'uomo in quanto a virilità: sarà sicuramente guerra, per i maschi una delle sfide più difficili è rappresentata dall'autoironia. In conclusione "la bugia è un'arma come la verità – afferma la psicoterapeuta della coppia Gianna Schelotto – è difficile dire cosa fac-25 cia bene o male alla coppia. Ma cos'è un matrimonio senza comunicazione, senza lealtà? Si deve capire che l'altro ha diritto a un suo piccolo mondo segreto, che non si parla mai di tutto. Non si tratta di bugie, fa parte dell'accordo."

(da "la Repubblica")

2. Comprensione

a) "La bugia fa bene alla coppia." Qual è, su questo argomento, l'opinione delle varie persone intervistate nell'articolo? Segna con una X l'affermazione giusta.

	è d'accordo	non è d'accordo	non esprime una posizione netta
Willy Pasini	❍	❍	❍
Margaret Mazzantini	❍	❍	❍
la maggior parte degli esperti	❍	❍	❍
Gianna Schelotto	❍	❍	❍

b) Scegli il significato più appropriato per ogni frase.

riga 4-5 - la sincerità non paga
a) dire la verità non è difficile ❍
b) dire la verità non dà buoni risultati ❍

riga 8 - Credo che ognuno abbia diritto al proprio giardino segreto
a) la mia opinione è: ogni coppia deve avere una casa con giardino ❍
b) la mia opinione è: ognuno deve avere il suo spazio personale ❍

riga 21 - il litigio è inevitabile
a) sicuramente ci sarà una discussione ❍
b) non c'è problema ❍

riga 22-23 - per i maschi una delle sfide più difficili è rappresentata dall'autoironia
a) gli uomini hanno difficoltà a ridere di se stessi ❍
b) gli uomini sono sempre in competizione tra loro ❍

3. Produzione orale

E tu? Sei d'accordo o no con la tesi dell'articolo? Quali ingredienti pensi siano necessari per far funzionare e durare una relazione sentimentale? Parlane con un compagno.

4. Analisi del testo: grammatica

a) Sottolinea nell'articolo tutti i verbi al congiuntivo presente. Poi scrivili nella tabella, insieme all'infinito e al soggetto della frase, come nell'esempio.

verbi al congiuntivo	infinito	soggetto della frase
siano	*essere*	*lealtà, sincerità, onestà*

b) Ora ricopia tutti i verbi al congiuntivo anche in questa tabella e scrivi nella colonna di destra l'elemento del testo da cui dipende l'uso del congiuntivo.

verbi al congiuntivo	il congiuntivo dipende da
siano	*pensa che*

c) Adesso inserisci al posto giusto nella tabella qui sotto i verbi o le espressioni che hai scritto nella colonna di destra della tabella precedente.

verbi che introducono un'opinione	
verbi che esprimono un sentimento	
verbi o espressioni impersonali	
espressioni che introducono una frase interrogativa	

5. Produzione scritta

Si dice che gli uomini vengano da Marte e le donne da Venere per sottolinearne la profonda diversità. A coppie divertitevi a compilare una lista dei comportamenti, degli atteggiamenti e dei difetti che uomini e donne si rimproverano vicendevolmente.

Gli uomini pensano che le donne...	Le donne pensano che gli uomini...

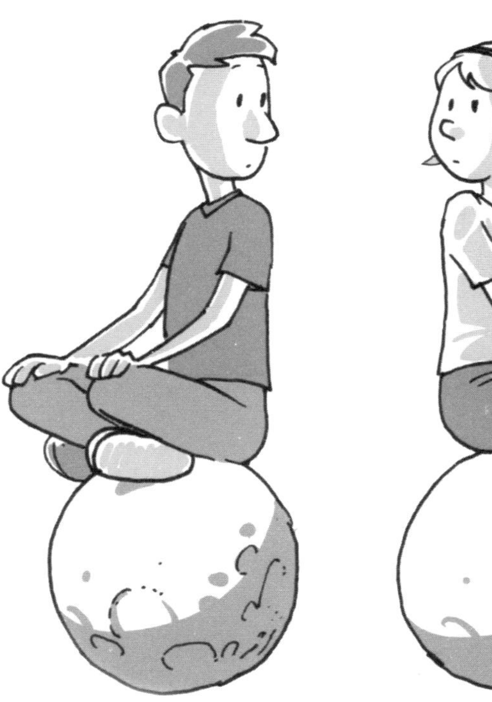

6. Ripassiamo

Coniuga i verbi al congiuntivo presente e mettili al posto giusto nel testo (non sono in ordine).

**aiutare - avere - cambiare - dire - dovere - essere - essere - fare - fare
parlare - presentarsi**

Chi pensa che lealtà, sincerità, onestà ______________ qualità basilari in un rapporto di coppia, è meglio che ______________ idea. Sbaglia. Il matrimonio si basa sulla menzogna. Allora mentite, mentite, mentite. Così la vita di coppia durerà in media cinque anni in più. L'amara verità sul tradimento porterà invece alla rottura con una probabilità del 78%. Dunque la sincerità non paga. Questo è quello che risulta da un sondaggio sugli italiani e il matrimonio realizzato dall'Associazione italiana psicologi.
"È vero - commenta Willy Pasini, psichiatra e sessuologo - le bugie possono evitare traumi alla coppia. Credo che ognuno ______________ diritto al proprio *giardino segreto*, da gestire con buon senso."
Pasini ritiene inoltre che il concetto di coppia ______________ al terzo millennio profondamente modificato rispetto al passato. "Adesso la filosofia della coppia è *liberi insieme* – spiega – prima si è individui e poi partner."
Di idee diverse è la scrittrice Margaret Mazzantini, la quale pensa che la menzogna non ______________ nessuno e che all'interno della coppia ognuno ______________ prendersi le proprie responsabilità. "Non amo che il mio partner mi ______________ bugie, preferisco che mi ______________ sinceramente, sempre, anche se questo in alcuni casi significa ascoltare delle verità sgradevoli."
Eppure, secondo la maggior parte degli esperti, per evitare contrasti e spiacevoli discussioni, pare ______________ meglio tacere anche i piccoli peccati.
Persino la sincerità nei momenti più banali della vita quotidiana sembra che ______________ male all'armonia di coppia.
Mai confessare alla propria moglie di vederla poco elegante; mentre se lui apprezza il look di un'altra, il litigio è inevitabile. Naturalmente è sconsigliabile mettere in dubbio la leadership dell'uomo in quanto a virilità: sarà sicuramente guerra, per i maschi una delle sfide più difficili è rappresentata dall'autoironia.
In conclusione "la bugia è un'arma come la verità – afferma la psicoterapeuta della coppia Gianna Schelotto – è difficile dire cosa ______________ bene o male alla coppia. Ma cos'è un matrimonio senza comunicazione, senza lealtà? Si deve capire che l'altro ha diritto a un suo piccolo mondo segreto, che non si parla mai di tutto. Non si tratta di bugie, fa parte dell'accordo."

16 Sogni e incubi degli italiani

1. Introduzione alla lettura

Quante ore dormi ogni notte? Di solito dormi bene o male? Fai spesso dei brutti sogni? Ricordi facilmente quello che hai sognato? Qualche volta fai dei sogni che si ripetono? Parlane con un compagno.

2. Lettura

Ora leggi l'articolo e scopri cosa sognano gli italiani.

"Ho sognato il capoufficio"
Così la notte diventa un incubo.

Con la fine dell'estate, anche i sonni tranquilli se ne vanno e sei italiani su dieci saranno assaliti dagli incubi: la paura di essere traditi dal partner, il panico di perdersi, o di perdere una persona amata, di perdere un aereo, di ritrovarsi nudi tra la gente, di affrontare il capoufficio... Incubi appunto. L'indagine è stata condotta da un istituto di ricerca su un campione di 884 italiani di età compresa tra i 18 e i 67 anni.

I sogni vengono ricordati più frequentemente dalle donne che dagli uomini: il 93 per cento contro il 16, forse perché le donne sono più allenate a guardarsi dentro, più attente ad ascoltarsi e ad ascoltare. Ma in tutti, a restare più impressi sono proprio gli incubi, mentre i sogni più belli sembrano sparire all'alba: solo il 14 per cento degli intervistati riesce a ricordarli dopo il risveglio.

I sogni autunnali degli italiani sono popolati da capiufficio ghignanti e colleghi sprezzanti, appuntamenti mancati, treni e aerei che partono lasciandoci a terra... sono queste le ansie in testa alla classifica dei nostri incubi. Insomma un disastro! Praticamente un insieme di tutte le angosce quotidiane, un concentrato dell'insicurezza umana: la paura di non essere amati, di essere giudicati, di perdere chi si ama, di non farcela, di non essere qualcuno o qualche cosa.

Gli esperti suggeriscono tuttavia alcune elementari strategie contro gli incubi: ad esempio se si dorme da diverso tempo con il medesimo partner, provate a cambiare letto e stanza, e a riposare da soli (dicono che così si permette alla nostra energia notturna di rimanere incontaminata); altro consiglio: addormentarsi nel buio più assoluto o ancora, versare qualche goccia di profumo sul cuscino; ovviamente no ai sonniferi altrimenti la fase del sonno durante la quale si sogna viene ridotta; niente discussioni o discorsi impegnativi prima di andare a letto; limitare la tv; mangiare con moderazione. E se non va, allora provate a sognare a occhi aperti. Non è la stessa cosa, ma magari funziona.

(da "la Repubblica")

3. Comprensione

Decidi se le affermazioni sono vere o false. Poi confrontati con un compagno e spiega perché.

	vero	falso
a) La stagione in cui gli italiani hanno più incubi è l'estate.	❍	❍
b) Le donne ricordano i sogni meglio degli uomini.	❍	❍
c) Gli incubi si ricordano più facilmente dei bei sogni.	❍	❍
d) Gli incubi rappresentano le nostre insicurezze.	❍	❍
e) Una buona strategia contro gli incubi è dormire sempre con lo stesso partner.	❍	❍

4. Analisi del testo: lessico

Trova per ogni significato l'espressione corrispondente nel testo, come negli esempi.

riga	espressione del testo	significato
1-20		brutti sogni
	panico	terrore, paura molto grande
		abituate
20-31		abitati
		che ridono in modo cattivo
		che esprimono disprezzo
	ansie	preoccupazioni
		paure profonde
		riuscire a fare qualcosa
32-48		pura, pulita
		medicine che aiutano a dormire
		faticosi, difficili
		forse

5. Produzione orale

L'insegnante ti assegnerà uno dei due ruoli. Leggi solo le istruzioni che ti riguardano e poi lavora con uno studente che ha un ruolo diverso dal tuo.

paziente	psicanalista
Sei dallo psicanalista e racconti un sogno o un incubo che ti sembra particolarmente significativo. Insieme a lui cerchi di interpretarlo.	Sei uno psicanalista. Il tuo paziente ti racconta un sogno o un incubo che ha fatto. Insieme a lui cerchi di interpretarlo.

6. Analisi del testo: grammatica

a) Nell'articolo che hai letto ci sono otto esempi di verbi coniugati nella forma passiva. Scrivili nella tabella come nell'esempio.

	forma passiva	tempo	ausiliare	verbo passivo
1.	*saranno assaliti*	*futuro*	*essere*	*assalire*
2.				
3.				
4.				
5.				
6.				
7.				
8.				

b) Osserva la tabella precedente. Quali due verbi ausiliari si usano per fare la forma passiva? C'è una differenza tra loro? Quando si usa uno e quando l'altro? Discuti con i compagni.

c) Quale delle otto forme passive che hai trovato è seguita dal complemento d'agente? Riguarda bene il testo e completa la tabella come nell'esempio.

	forma passiva	complemento d'agente
1.	*saranno assaliti*	*dagli incubi*
2.		
3.		
4.		
5.		
6.		
7.		
8.		

7. Esercizio sul lessico

a) Trova per ogni nome l'aggettivo corrispondente (puoi usare il dizionario).

nome	→	aggettivo
paura	→	*pauroso*
ansia	→	______
disastro	→	______
angoscia	→	______
strategia	→	______
energia	→	______

b) Ora trova per ogni aggettivo il nome corrispondente (puoi usare il dizionario).

aggettivo	→	nome
attento	→	*attenzione*
popolato	→	______
moderato	→	______
impresso	→	______
insicuro	→	______
bello	→	______
tranquillo	→	______
nudo	→	______
quotidiano	→	______
diverso	→	______

c) Adesso trova per ogni verbo il nome corrispondente (puoi usare il dizionario).

verbo	→	nome
ascoltare	→	*ascolto*
ricordare	→	______
riposare	→	______
sognare	→	______
allenare	→	______
suggerire	→	______
cambiare	→	______
tradire	→	______
funzionare	→	______

8. Produzione scritta

Continua tu.

Questa notte ho avuto un incubo, mi sono svegliato/a e ho acceso la luce…

9. Ripassiamo

Completa il testo coniugando i verbi della lista alla forma passiva. I verbi sono in ordine.

1. essere/assalire – 2. essere/tradire – 3. essere/condurre
4. venire/ricordare – 5. essere/popolare – 6. essere/amare
7. essere/giudicare – 8. venire/ridurre

Con la fine dell'estate, anche i sonni tranquilli se ne vanno e sei italiani su dieci 1.____________________ dagli incubi: la paura di 2.____________________ dal partner, il panico di perdersi, o di perdere una persona amata, di perdere un aereo, di ritrovarsi nudi tra la folla, di affrontare il capoufficio… Incubi appunto. L'indagine 3.____________________ da un istituto di ricerca su un campione di 884 italiani di età compresa tra i 18 e i 67 anni.
I sogni 4.____________________ più frequentemente dalle donne che dagli uomini: il 93 per cento contro il 16, forse perché le donne sono più allenate a guardarsi dentro, più attente ad ascoltarsi e ad ascoltare. Ma in tutti, a restare più impressi sono proprio gli incubi, mentre i sogni più belli sembrano sparire all'alba: solo il 14 per cento degli intervistati riesce a non ricordarli dopo il risveglio.
I sogni autunnali degli italiani 5.____________________ da capiufficio ghignanti e colleghi sprezzanti, appuntamenti mancati, treni e aerei che partono lasciandoci a terra… sono queste le ansie in testa alla classifica dei nostri incubi. Insomma un disastro! Praticamente un insieme di tutte le angosce quotidiane, un concentrato dell'insicurezza umana: la paura di non 6.________________, di 7.________________, di perdere chi si ama, di non farcela, di non essere qualcuno o qualche cosa.
Gli esperti suggeriscono tuttavia alcune elementari strategie contro gli incubi: ad esempio se si dorme da diverso tempo con lo stesso partner, provate a cambiare letto e stanza, e a riposare da soli (dicono che così si permette alla nostra energia notturna di rimanere incontaminata); altro consiglio: addormentarsi nel buio più assoluto o ancora, versare qualche goccia di profumo sul cuscino; naturalmente no ai sonniferi altrimenti la fase del sonno durante la quale si sogna 8.____________________; niente discussioni o discorsi impegnativi prima di andare a letto; limitare la tv; mangiare con moderazione.
E se non va, allora provate a sognare a occhi aperti. Non è la stessa cosa, ma magari funziona.

10. Esercizio sulla forma passiva

Metti i verbi al posto giusto e completa il testo.

è stato condotto – è stato consentito - è stato visto - essere riconquistata si dorme - sono stati modificati

In Italia ___________________ di meno rispetto a 100 anni fa. La diminuzione delle ore di sonno (9 ore la media all'inizio del '900, di poco superiore alle 7 a fine millennio) è dovuta anche alla pressione delle richieste lavorative e sociali. Le 8 ore necessarie dunque, sono sempre più un sogno da raggiungere.
Ma l'abitudine al sonno può _______________________ imparando a dormire di più. Una serie di parametri fisiologici e psicologici, secondo gli esperti, _______________________ dal fatto di dedicare sempre meno tempo al riposo. ___________________ come soggetti adulti a cui ______________________ di dormire in una cosiddetta "finestra allargata di sonno", circa 14 ore, abbiano allungato la durata del riposo fino a 8,5-9 ore. Un allungamento, secondo la ricerca, che ha prodotto "un miglioramento delle sensazioni di benessere sia psichico che fisico".
I dati italiani relativi ad uno studio che ____________________ su 543 soggetti in età compresa tra i 19 e gli 86 anni, hanno individuato una durata media di 7 ore e 15 minuti con variazioni tra inverno (7 ore e 34 minuti) ed estate (7 ore e 8 minuti).

(da "Leggo")

17 Italiani al volante

1. Introduzione alla lettura

a) Metti i 7 verbi al posto giusto negli spazi vuoti e completa l'inizio di questo articolo. Attenzione, gli spazi vuoti sono 8, uno è di troppo e non va riempito.

accade - moderi - piacerebbe - scrivono - sia - va - vadano

Molti lettori mi ___________ lettere addolorate per deplorare che tanti automobilisti in Italia ___________ a velocità eccessiva, e mi chiedono di unirmi alla deplorazione, nella speranza che almeno qualcuno ___________ la velocità. Mi ___________ essere utile, ma a parte il fatto che le esortazioni servono a poco, ho sempre pensato che il mio mestiere ___________ non tanto di esortare, quanto di descrivere e, se possibile ___________, di capire. Dunque: perché tanta gente ___________ troppo veloce in automobile e perché ciò ___________ in Italia?

b) Ora, insieme a un compagno, cerca di trovare delle risposte possibili alle due domande dell'articolo:

a) perché tanta gente va troppo veloce in automobile?
b) perché ciò accade in Italia?

2. Lettura con problema

Leggi la continuazione dell'articolo e cerca di capire come il giornalista risponde alle due domande.

Naturalmente, è da escludere che la velocità sia dovuta alla fretta. Non c'è nessuna ragione al mondo perché gli italiani siano più frettolosi degli stranieri, tanto più che arrivano sempre in ritardo agli appuntamenti, ed è risaputo che una corsa in autostrada a tutto gas permette di risparmiare, a conti fatti, pochi minuti. La ragione è un'altra: la velocità nella guida è vissuta come prova di bravura, come esibizione di abilità, dà al guidatore la stessa emozione di una partita di tennis, o di un salto in alto. Prendere una curva al limite delle possibilità, quando le ruote stanno per perdere l'aderenza sull'asfalto; fare un sorpasso con pochi centimetri di spazio in mezzo alle altre vetture; accelerare il motore al massimo dei giri, quando sembra di volare: tali sono i piaceri che spingono certi automobilisti a rischiare la vita, la propria e, lo sappiamo, quella degli altri.
Questa è la ragione per cui tanta gente va troppo forte. Ma perché ciò accade in Italia, a quanto sembra, più che altrove? Qui ogni risposta è opinabile: da parte mia, sono convinto che la predisposizione sia questione, non tanto di indole nazionale, quanto di stadio di sviluppo.
Nei Paesi di motorizzazione antica, l'automobile è considerata semplicemente uno strumento utile che consente di andare dal punto A al punto B. È solo all'inizio della motorizzazione, quando l'automobile è una novità, che essa è vissuta come palestra di bravura, come strumento di piacere. In Italia si va in auto, è vero, da molto tempo, e potremmo essere considerati un popolo di motorizzazione antica anche noi. Ma dobbiamo tenere conto del fatto che il numero delle automobili cresce ogni anno, e che c'è sempre una gran quantità di persone che solo adesso assapora i piaceri della guida.
Vi sembra plausibile questa spiegazione? Se è vera, è questione di tempo: e ci calmeremo anche noi.

(da "Il Venerdì di Repubblica")

3. Comprensione

Vero o falso?

Secondo il giornalista:	**vero**	**falso**
a) la gente corre in macchina perché ha fretta	❍	❍
b) gli italiani hanno più fretta degli altri popoli	❍	❍
c) gli italiani sono sempre in ritardo	❍	❍
d) correre in macchina non serve a guadagnare tempo	❍	❍
e) la gente corre in macchina per dimostrare le proprie capacità e per provare piacere	❍	❍
f) gli italiani in macchina corrono più degli altri popoli perché sono più esperti nella guida	❍	❍

4. Analisi del testo: lessico

Nell'articolo ci sono molte parole ed espressioni relative all'argomento "andare in automobile". Trovale. Poi confronta la tua lista con quella di un compagno e insieme cercate di capire il significato delle parole o delle espressioni più difficili.

5. Produzione orale

Come sono gli automobilisti nel tuo Paese? Sono rispettosi o no delle regole della strada? E tu, che rapporto hai con l'automobile? La usi? Sei un buon guidatore? Ti ricordi un'esperienza particolare con la macchina che hai vissuto o che ti hanno raccontato? Parlane con un compagno.

6. Analisi del testo: grammatica

a) Trova nell'articolo (parte iniziale attività 1 + continuazione attività 2) i verbi dipendenti dalle espressioni elencate nella tabella e poi scrivi se sono all'indicativo o al congiuntivo, come nell'esempio.

espressione del testo	verbo dipendente	indicativo o congiuntivo?
per deplorare che	*vadano*	*congiuntivo*
nella speranza che		
ho sempre pensato che		
è da escludere che		
Non c'è nessuna ragione al mondo perché		
è risaputo che		
Questa è la ragione per cui		
sono convinto che		
dobbiamo tenere conto del fatto che		

b) Tra i verbi al congiuntivo che hai trovato, ce n'è uno che è possibile coniugare anche all'indicativo, senza modificare la correttezza della frase. Qual è? Perché? Parlane con un compagno.

c) Osserva questa frase:

ho sempre pensato che il mio mestiere sia non tanto di esortare, quanto di descrivere

Nell'articolo c'è un'altra frase costruita nello stesso modo. Qual è?

7. Esercizio

Riscrivi le frasi come nell'esempio.

Es.: Ho sempre pensato che il mio mestiere non sia di esortare.
Ho sempre pensato che il mio mestiere sia di descrivere.
*Ho sempre pensato che il mio mestiere sia **non tanto** di esortare, **quanto** di descrivere.*

a) La gente non va troppo veloce per la fretta.
La gente va troppo veloce per dimostrare le proprie capacità.

____

b) La velocità nella guida non è vissuta come possibilità di risparmiare tempo.
La velocità nella guida è vissuta come prova di bravura.

____

c) Sono convinto che la predisposizione degli italiani ad andare troppo veloci non sia questione di indole nazionale.
Sono convinto che la predisposizione degli italiani ad andare troppo veloci sia questione di stadio di sviluppo.

____

d) Nei Paesi di motorizzazione antica, l'automobile non è considerata un mezzo per andare più veloci.
Nei Paesi di motorizzazione antica, l'automobile è considerata uno strumento utile che consente di andare dal punto A al punto B.

____

8. Ripassiamo

Metti le parole al posto giusto e completa l'articolo.

al guidatore - alle altre vetture - autostrada - gas - automobilisti - certi automobilisti - dei giri - il motore - in automobile - l'aderenza - la velocità - la velocità - nella guida - una curva - un sorpasso

Molti lettori mi scrivono lettere addolorate per deplorare che tanti __________________ in Italia vadano a velocità eccessiva, e mi chiedono di unirmi alla deplorazione, nella speranza che almeno qualcuno moderi __________________. Mi piacerebbe essere utile, ma a parte il fatto che le esortazioni servono a poco, ho sempre pensato che il mio mestiere sia non tanto di esortare, quanto di descrivere e, se possibile, di capire. Dunque: perché tanta gente va troppo veloce __________________ e perché ciò accade in Italia? Naturalmente, è da escludere che __________________ sia dovuta alla fretta. Non c'è nessuna ragione al mondo perché gli italiani siano più frettolosi degli stranieri, tanto più che arrivano sempre in ritardo agli appuntamenti, ed è risaputo che una corsa in __________________ a tutto __________________ permette di risparmiare, a conti fatti, pochi minuti. La ragione è un'altra: la velocità __________________ è vissuta come prova di bravura, come esibizione di abilità, dà __________________ la stessa emozione di una partita di tennis, o di un salto in alto. Prendere __________________ al limite delle possibilità, quando le ruote stanno per perdere __________________ sull'asfalto; fare __________________ con pochi centimetri di spazio in mezzo __________________; accelerare __________________ al massimo __________________, quando sembra di volare: tali sono i piaceri che spingono __________________ a rischiare la vita, la propria e, lo sappiamo, quella degli altri.

9. Produzione scritta

Come dovrebbe comportarsi un buon guidatore? Quali sono le regole più importanti da seguire? E cosa non bisognerebbe fare? Insieme a un compagno, scrivi i punti essenziali di un piccolo regolamento della strada.

10. Ripassiamo

In questa parte dell'articolo, ci sono due verbi sbagliati. Trovali e correggili.

Molti lettori mi scrivono lettere addolorate per deplorare che tanti automobilisti in Italia vadano a velocità eccessiva, e mi chiedono di unirmi alla deplorazione, nella speranza che almeno qualcuno moderi la velocità. Mi piacerebbe essere utile, ma a parte il fatto che le esortazioni servano a poco, ho sempre pensato che il mio mestiere sia non tanto di esortare, quanto di descrivere e, se possibile, di capire. Dunque: perché tanta gente va troppo veloce in automobile e perché ciò accade in Italia? Naturalmente, è da escludere che la velocità sia dovuta alla fretta. Non c'è nessuna ragione al mondo perché gli italiani sono più frettolosi degli stranieri, tanto più che arrivano sempre in ritardo agli appuntamenti, ed è risaputo che una corsa in autostrada a tutto gas permette di risparmiare, a conti fatti, pochi minuti.
La ragione è un'altra: la velocità nella guida è vissuta come prova di bravura, come esibizione di abilità, dà al guidatore la stessa emozione di una partita di tennis, o di un salto in alto.

11. Produzione orale

Formate due gruppi, uno favorevole all'uso dell'automobile e l'altro contrario. Dovete prepararvi a partecipare a un dibattito su questo argomento sostenendo la vostra tesi. Prima di iniziare il dibattito, all'interno di ogni gruppo trovate tutti gli argomenti a sostegno della vostra tesi in modo da essere pronti a fronteggiare qualsiasi tipo di obiezione dall'altra parte. Poi dividetevi in coppie (un rappresentante del gruppo favorevole e uno del gruppo contrario), e iniziate il dibattito.

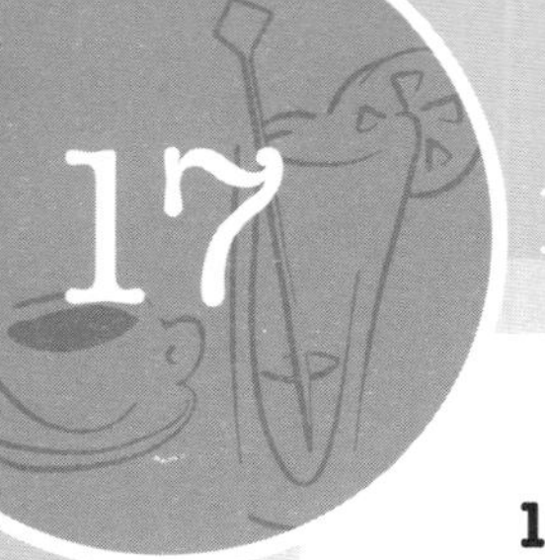

12. Ripassiamo

Inserisci al posto giusto nel testo le espressioni delle due liste, come nell'esempio.

espressioni seguite dall'indicativo	espressioni seguite dal congiuntivo
dobbiamo tenere conto del fatto che è risaputo che questa è la ragione per cui	è da escludere che ho sempre pensato che nella speranza che non c'è nessuna ragione al mondo perché per deplorare che **sono convinto che**

Molti lettori mi scrivono lettere addolorate ________________ tanti automobilisti in Italia vadano a velocità eccessiva, e mi chiedono di unirmi alla deplorazione, ________________ almeno qualcuno moderi la velocità. Mi piacerebbe essere utile, ma a parte il fatto che le esortazioni servono a poco, ________________ il mio mestiere sia non tanto di esortare, quanto di descrivere e, se possibile, di capire. Dunque: perché tanta gente va troppo veloce in automobile e perché ciò accade in Italia? Naturalmente, ________________ la velocità sia dovuta alla fretta. ________________ gli italiani siano più frettolosi degli stranieri, tanto più che arrivano sempre in ritardo agli appuntamenti, ed ________________ una corsa in autostrada a tutto gas permette di risparmiare, a conti fatti, pochi minuti. La ragione è un'altra: la velocità nella guida è vissuta come prova di bravura, come esibizione di abilità, dà al guidatore la stessa emozione di una partita di tennis, o di un salto in alto. Prendere una curva al limite delle possibilità, quando le ruote stanno per perdere l'aderenza sull'asfalto; fare un sorpasso con pochi centimetri di spazio in mezzo alle altre vetture; accelerare il motore al massimo dei giri, quando sembra di volare: tali sono i piaceri che spingono certi automobilisti a rischiare la vita, la propria e, lo sappiamo, quella degli altri.
________________ tanta gente va troppo forte. Ma perché ciò accade in Italia, a quanto sembra, più che altrove? Qui ogni risposta è opinabile: da parte mia, ________________ la predisposizione sia questione, non tanto di indole nazionale, quanto di stadio di sviluppo. Nei Paesi di motorizzazione antica, l'automobile è considerata semplicemente uno strumento utile che consente di andare dal punto A al punto B. È solo all'inizio della motorizzazione, quando l'automobile è una novità, che essa è vissuta come palestra di bravura, come strumento di piacere. In Italia si va in auto, è vero, da molto tempo, e potremmo essere considerati un popolo di motorizzazione antica anche noi. Ma ________________ il numero delle automobili cresce ogni anno, e che c'è sempre una gran quantità di persone che solo adesso assapora i piaceri della guida. Vi sembra plausibile questa spiegazione? Se è vera, è questione di tempo: e ci calmeremo anche noi.

Mammoni d'Italia

18

1. Introduzione alla lettura

Tra poco leggerai un articolo sul fenomeno tipicamente italiano dei "mammoni", i giovani italiani che rimangono a vivere in famiglia fino a tardi. Insieme a un compagno, prova a immaginare le ragioni per cui i giovani italiani non abbandonano presto la famiglia.

2. Lettura con problema

Ora leggete l'articolo e verificate le vostre ipotesi.

Andarmene e perché?

1 Lasciate ogni luogo comune: le donne italiane sono meno mammone degli uomini e fanno di tutto per abbandonare la famiglia prima dei maschi della loro stessa età. Però in fatto di autonomia l'Italia è agli ultimi posti. Nei paesi del Nord Europa e in America i figli vanno a vivere da soli appena è possibile, nei campus o negli appartamenti. Nel nostro Paese, invece, 5 sono moltissimi i giovani che, nonostante abbiano finito gli studi, non hanno interesse a lasciare la casa dei genitori.

Ma perché accade questo? "Lo Stato non ci aiuta", dicono i giovani. "Se ci fosse lavoro, sarebbe più facile andare via di casa." E ancora: "Se le case fossero meno care, potremmo prendere in affitto un appartamento e dividerlo con qualche amico."

10 Se, se, se… La verità è che i giovani mammoni preferiscono restare a lungo in famiglia, luogo confortevole, fonte di vizi, servizi e benefici. Infatti le difficoltà economiche spesso sono solo una giustificazione: gli ultimi dati Istat rivelano che il 31,8% degli adulti lavoratori tra i 25 e i 34 anni vive ancora con mamma e papà. Il 70% degli uomini non sposati resta con i genitori finché questi non muoiono, il 25% degli uomini divorziati e il 17% delle donne 15 divorziate se il matrimonio fallisce torna nella famiglia di origine. Insomma, gli italiani sono un popolo di mammoni, e se potessero scegliere, starebbero sempre con mamma e papà.

(da "D di Repubblica")

3. Comprensione

Secondo l'articolo, quali sono le ragioni per cui i giovani italiani rimangono a vivere con i genitori più a lungo che negli altri Paesi?

4. Analisi del testo: lessico

Collega ogni espressione al giusto significato, come nell'esempio.

riga	espressione del testo	significato
1	**1. luogo comune** → d	a. fino a quando
1-2	2. fanno (inf. fare) di tutto	b. origine, causa
2	3. in fatto di	c. separati dopo il matrimonio
11	4. fonte	**d. idea condivisa da tutti**
11	5. vizi	e. andare male
14	6. finché	f. fare il possibile
14	7. divorziati	g. riguardo a, a proposito di
15	8. fallisce (inf. fallire)	h. qualità negative

5. Analisi del testo: grammatica

a) Nell'articolo ci sono 4 esempi di periodo ipotetico, 1 del 1° tipo e 3 del 2° tipo. Trovali e completa la tabella.

periodo ipotetico 1° tipo (se + indicativo presente + indicativo presente)
1.____
periodo ipotetico 2° tipo (se + congiuntivo imperfetto + condizionale presente)
1.____
2.____
3.____

b) Che differenza c'è tra il periodo ipotetico del 1° tipo e quello del 2° tipo? Quando si usa uno e quando l'altro? Osserva le 4 frasi e rifletti con un compagno.

c) Conosci altri tipi di periodo ipotetico? Quali?

6. Esercizio sul periodo ipotetico

Completa le frasi. Puoi scrivere quello che vuoi, ma attento alla grammatica!

1. In Italia, se un giovane finisce di studiare, ______________________
2. Molti italiani, se il matrimonio fallisce, ______________________
3. Se (io) avessi un figlio mammone, __________________________
4. Se (io) fossi italiano, ____________________________________
5. Se ____________________________, imparerebbero ad essere più indipendenti.
6. I giovani italiani dicono che se ____________________________, se ne andrebbero prima di casa.
7. Se ___________________________________, non ci sarebbe il fenomeno dei mammoni.
8. Se in Italia __________________________, _________________________

7. Analisi del testo: grammatica

a) Osserva questa frase.

Nel nostro Paese, invece, sono moltissimi i giovani che, **nonostante** abbiano finito gli studi, non hanno interesse a lasciare la casa dei genitori.

Come vedi, la congiunzione "nonostante" si usa con il congiuntivo. Altre congiunzioni con lo stesso significato sono: "anche se", "benché", "pur", "sebbene". Ma attenzione: solo due di queste si usano con il congiuntivo come "nonostante". Sai quali sono? Sai come si usano le altre? Prima di rispondere, fai l'esercizio successivo.

b) Osserva le 4 frasi qui sotto e completale con la congiunzione giusta (la frase 1 e la frase 2 sono uguali).

anche se - benché - pur - sebbene

1. Nel nostro Paese, invece, sono moltissimi i giovani che, _______________ **abbiano finito** gli studi, non hanno interesse a lasciare la casa dei genitori.

2. Nel nostro Paese, invece, sono moltissimi i giovani che, _______________ **abbiano finito** gli studi, non hanno interesse a lasciare la casa dei genitori.

3. Nel nostro Paese, invece, sono moltissimi i giovani che, _____________ **hanno finito** gli studi, non hanno interesse a lasciare la casa dei genitori.

4. Nel nostro Paese, invece, sono moltissimi i giovani che, _____________ **avendo finito** gli studi, non hanno interesse a lasciare la casa dei genitori.

Se la soluzione è giusta, avrai anche le risposte alle domande del punto a).

8. Introduzione alla lettura

Qui sotto hai, spezzati in varie parti, i primi 4 periodi di un altro articolo sul mammismo. Rimettili in ordine.

le più ansiose d'Europa / uccidono la carriera dei figli / Le madri italiane

1. ____________________, ____________________, ____________________.

e il successo degli uomini in vari Paesi europei /
che ha studiato il rapporto tra l'educazione materna /
Lo afferma una ricerca dell'Istituto europeo di psicoanalisi

2. ______________________________, ______________________________

______________________________.

(manager, imprenditori, commercianti, medici, avvocati) / Dalla ricerca /
condiziona negativamente il successo dei figli /
che ha analizzato le carriere di oltre 1.500 uomini /
con la sua forte carica di apprensione e possessività /
è emerso che l'educazione latina

3. ____________________________, ______________________________,

____________________________, ______________________________,

____________________________, ______________________________.

dei figli in casa / il loro continuo controllo / la più prolungata al mondo /
L'onnipresenza delle mamme / compromette la loro affermazione nella società /
ma soprattutto la permanenza

4. ____________________________, ______________________________,

____________________________, ______________________________,

____________________________, ______________________________.

9. Lettura con problema

a) Ora leggi l'inizio dell'articolo e verifica l'ordine.

Le madri italiane, le più ansiose d'Europa, uccidono la carriera dei figli. Lo afferma una ricerca dell'Istituto europeo di psicoanalisi, che ha studiato il rapporto tra l'educazione materna e il successo degli uomini in vari Paesi europei. Dalla ricerca, che ha analizzato le carriere di oltre 1.500 uomini (manager, imprenditori, commercianti, medici, avvocati), è emerso che l'educazione latina, con la sua forte carica di apprensione e possessività, condiziona negativamente il successo dei figli. L'onnipresenza delle mamme, il loro continuo controllo, ma soprattutto la permanenza, la più prolungata al mondo, dei figli in casa, compromette la loro affermazione nella società.

(da "la Repubblica")

b) Qui sotto hai la seconda parte dell'articolo. Insieme a un compagno, prova a inserire nel testo le parole mancanti.

danesi - francesi - greci - inglesi - italiani - portoghesi - spagnoli - tedeschi

I figli __________ dipendono dai giudizi e dai condizionamenti della loro madre anche fino a 40 anni. Mentre gli __________ si emancipano in media a 22 anni, i __________ e i __________ a 23, i __________ a 24, i __________ e i __________ a 27, gli __________ a 28. Inoltre i matrimoni italiani sono esposti a turbolenze per colpa dell'invadenza della madre nel 36% dei casi. E ancora: l'influenza della madre rende l'uomo italiano più insicuro nel 45% dei casi, emotivamente più vulnerabile nel 42%, più incapace di sostenere le intemperanze e la competitività della carriera nel 56% dei casi, più "rinunciatario" nel 58% dei casi.

c) Adesso leggete il testo completo e verificate le vostre ipotesi.

I figli italiani dipendono dai giudizi e dai condizionamenti della loro madre anche fino a 40 anni. Mentre gli inglesi si emancipano in media a 22 anni, i danesi e i francesi a 23, i tedeschi a 24, i portoghesi e i greci a 27, gli spagnoli a 28. Inoltre i matrimoni italiani sono esposti a turbolenze per colpa dell'invadenza della madre nel 36% dei casi. E ancora: l'influenza della madre rende l'uomo italiano più insicuro nel 45% dei casi, emotivamente più vulnerabile nel 42%, più incapace di sostenere le intemperanze e la competitività della carriera nel 56% dei casi, più "rinunciatario" nel 58% dei casi.

(da "la Repubblica")

10. Produzione orale

Come sono/erano i tuoi genitori? Che rapporto hai/avevi con loro? Parlane con un compagno.

11. Ripassiamo

Metti i verbi al tempo giusto (sono in ordine).

1. finire - 2. essere - 3. essere - 4. essere - 5. (noi) potere - 6. morire
7. fallire - 8. potere - 9. stare

Lasciate ogni luogo comune: le donne sono meno mammone degli uomini e fanno di tutto per abbandonare la famiglia prima dei maschi della loro stessa età. Però in fatto di autonomia l'Italia è agli ultimi posti. Nei paesi del Nord Europa e in America i figli vanno a vivere da soli appena è possibile, nei campus o negli appartamenti. Nel nostro Paese, invece, sono moltissimi i giovani che, nonostante 1.________________ gli studi, non hanno interesse a lasciare la casa dei genitori. Ma perché accade questo? "Lo Stato non ci aiuta", dicono i giovani. "Se ci 2.________________ lavoro, 3.________________ più facile andare via di casa." E ancora: "Se le case 4.________________ meno care, 5.________________ prendere in affitto un appartamento e dividerlo con qualche amico."
Se, se, se… La verità è che i giovani mammoni preferiscono restare a lungo in famiglia, luogo confortevole, fonte di vizi, servizi e benefici. Infatti le difficoltà economiche spesso sono solo una giustificazione: gli ultimi dati Istat rivelano che il 31,8% degli adulti lavoratori tra i 25 e i 34 anni vive ancora con mamma e papà. Il 70% degli uomini non sposati resta con i genitori finché questi non 6.________________, il 25% degli uomini divorziati e il 17% delle donne divorziate se il matrimonio 7.________________ torna nella famiglia di origine. Insomma, gli italiani sono un popolo di mammoni, e se 8.________________ scegliere, 9.________________ sempre con mamma e papà.

12. Gioco test

Formate due gruppi (gruppo A e gruppo B). Siete degli esperti psicologi. Una rivista vi ha chiesto di preparare un test dal titolo "Scoprite se siete mammoni". Ognuno dei due gruppi deve quindi pensare a una serie di domande (minimo 5) a scelta multipla sull'argomento.

Es.: 1) Hai un appuntamento con un ragazzo/una ragazza, ma tua madre ha cucinato il tuo piatto preferito e ti ha invitato a cena. Che cosa fai?

a) Esci con l'amico/l'amica.
b) Sposti l'appuntamento al giorno dopo e corri a casa da tua madre a gustarti la cena.
c) Inviti a cena da tua madre anche l'amico/l'amica.

Ad ogni risposta corrispondono dei punti. Sommando i punti di ciascuna risposta si arriva ad un punteggio finale al quale corrisponde un profilo psicologico (Mammoni/Quasi mammoni/Autonomi).

Quando ogni gruppo ha finito di preparare il test, si formano delle coppie (uno studente del gruppo A + uno studente del gruppo B). A turno, ogni studente propone al compagno il test del proprio gruppo. Prima di rispondere alle domande lo studente interpellato deve dire se la domanda e le possibilità di scelta proposte sono corrette grammaticalmente. Se le giudica corrette può rispondere, se pensa che siano sbagliate deve correggerle, se è in dubbio può ricorrere all'aiuto dell'insegnante. Alla fine si sommano i punti e ogni studente legge il proprio profilo psicologico.

Gli italiani e il ______ 19

1. Introduzione alla lettura

Indovinello. A cosa si riferiscono queste definizioni? Insieme a un compagno, prova a indovinare di che cosa si tratta.

È uno dei prodotti più tipicamente italiani.

Ogni giorno, in tutto il mondo, è consumato da milioni di persone.

I maggiori consumatori sono, un po' a sorpresa, gli svedesi.

Gli italiani lo consumano in un modo particolare, diverso da tutto il resto del mondo e difficilmente imitabile.

Può essere "macchiato", "corretto", "lungo", "ristretto".

Se non avete capito di che cosa si tratta o se volete avere una conferma alle vostre ipotesi, girate pagina!

2. Lettura

Leggi l'articolo.

In Italia il caffè è la bevanda nazionale. C'è chi lo vuole macchiato, chi corretto, chi lungo, chi ristretto. Ma, sebbene gli italiani siano gli inventori dell'espresso e del cappuccino, rispetto ai nordeuropei sono dei moderati consumatori. All'undicesimo posto nella graduatoria. Al primo gli svedesi, poi i norvegesi, i danesi e i finlandesi. Tuttavia, calcolare la differenza tra noi italiani e il resto del mondo in grammi e chilogrammi sarebbe sbagliato. La diversità va cercata piuttosto nel modo in cui noi consumiamo il caffè: in Italia usiamo il caffè come tonico e digestivo; nei Paesi del Nord Europa viene consumato come bevanda anche durante i pasti. Pertanto in molti Paesi (non solo in Scandinavia, ma anche in Germania, in Austria, in Svizzera, in Gran Bretagna, in Francia, negli Stati Uniti) si beve più caffè che in Italia, ma è un caffè meno forte, meno concentrato, più "lungo". Insomma, tutto il contrario del vero espresso.
Altra caratteristica tipicamente italiana è il consumo extra-domestico. Gli italiani sono più soddisfatti quando prendono il caffè al bar, insieme agli amici: in pochi metri quadrati, in piedi, un caffè veloce, ma di alta qualità. Per gli italiani bere il caffè è un rito sociale.
Il nostro modello ormai è copiatissimo in tutto il mondo. In un locale di Londra sono arrivati ad insegnare ai camerieri a urlare, perché nell'immaginario anglosassone gli italiani gesticolano e gridano.
Il problema adesso è riuscire a mantenere la nostra identità e diffonderla nel mondo, altrimenti l'espresso avrà lo stesso destino della pizza: se chiedi a un giapponese o a un americano dove è nata, ti rispondono a casa loro.
Ma quanti tipi di caffè possono essere chiesti a un barista? Le varietà sono infinite, l'importante è che siano rispettate le regole del vero "espresso italiano".
Per fare un espresso "doc" sono necessari 7 grammi di caffè e acqua a 88 gradi. Va servito a una temperatura di 67 gradi e in una tazzina bianca. Inoltre, perché il caffè sia gustoso, la crema deve essere densa, il sapore intenso e amaro al punto giusto.
E ora, siete pronti a gustarvi un buon caffè?

(da "Il Venerdì di Repubblica")

3. Comprensione

Rileggi l'articolo e scrivi nella tabella quali sono le principali differenze nel consumo del caffè tra l'Italia e gli altri Paesi.

il caffè in Italia	il caffè negli altri Paesi

4. Produzione orale

E tu? Qual è il tuo rapporto con il caffè? Quanto ne bevi? In quanti modi lo hai gustato? Come lo preferisci? Parlane con un compagno.

5. Analisi del testo: grammatica

a) Scrivi al posto giusto nella tabella tutti i verbi usati nell'articolo dell'attività 2.

	Indicativo			**Condizionale**	**Congiuntivo**	**Infinito**
	presente	passato prossimo	futuro	presente	presente	presente
forma attiva						
forma passiva						

b) Ora scrivi al posto giusto in questa tabella i verbi alla forma passiva che hai trovato nell'articolo.

forma passiva con:			
essere	venire	andare	"si" passivante

c) Insieme a un compagno rispondi alle domande.

1. Quale dei 4 tipi di forma passiva che hai visto ha il significato di "dovere", "necessità"?
2. Non tutti i 4 tipi di forma passiva possono essere usati con i tempi composti (passato prossimo, trapassato prossimo, futuro anteriore, condizionale passato, ecc.). Quali si possono usare e quali no?

6. Esercizio sulla forma passiva

Completa la tabella scrivendo le frasi nei tre modi indicati, come nell'esempio.

	forma passiva con:	
essere	**venire**	**"si" passivante**
1. *Nei Paesi del Nord Europa è consumato come bevanda anche durante i pasti.*	1. Nei Paesi del Nord Europa viene consumato come bevanda anche durante i pasti.	1.
2.	2.	2. Pertanto in molti Paesi si beve più caffè che in Italia.
3. Ma quanti tipi di caffè possono essere chiesti a un barista?	3.	3.
4. L'importante è che siano rispettate le regole del vero "espresso italiano".	4.	4.

7. Analisi del testo: grammatica

Osserva le due frasi e rispondi alle domande.

1. In un locale di Londra sono arrivati ad insegnare ai camerieri a urlare, **perché** nell'immaginario anglosassone gli italiani gesticolano e gridano.

2. Inoltre, **perché** il caffè sia gustoso, la crema deve essere densa, il sapore intenso e amaro al punto giusto.

In quale delle due frasi "perché" introduce una causa e in quale introduce il fine, lo scopo, l'obiettivo di un'azione? Da quale modo verbale è seguito nei due casi? Discuti con un compagno.

8. Lettura con problema

Scegli per ognuno dei 7 tipi di caffè il nome giusto tra quelli della lista qui sotto.

caffè al vetro | **caffè freddo** | **espresso caldo** | **caffè con spruzzata di cacao** | **caffè macchiato** | **cappuccino freddo** | **caffè corretto**

1. Nel bicchiere o in tazza è una tipica bevanda della colazione d'estate in Italia. Il miglior mix si ottiene con caffè caldo e latte freddo, amaro è un ottimo dissetante.
nome: ______________________

2. È il più classico di tutti: si beve nella tazzina, caldo, la crema deve avere un colore bruno-rossiccio e il sapore deve durare a lungo.
nome: ______________________

3. È una variante frequente, quando si vuole gustare il caffè nel bicchierino di vetro piuttosto che nella tazzina. Va bevuto molto caldo e subito.
nome: ______________________

4. È l'ideale nelle fredde giornate invernali. Al normale espresso si può aggiungere del cognac (o del brandy), whiskey, mistrà, grappa non aromatica.
nome: ______________________

5. È una variante molto richiesta. L'aggiunta di latte caldo in realtà non lo rende né meno forte né piú digeribile. È una questione di gusto.
nome: ______________________

6. Il più richiesto d'estate, da bere in un bicchiere a calice.
Se preso amaro può diventare anche un'ottima bevanda dissetante.
nome: ______________________

7. È uno dei modi per accentuare l'aroma cioccolatoso della bevanda. Ma attenzione: il caffè deve essere di ottima qualità, altrimenti il sapore del cacao può servire a nascondere un aroma non perfetto.
nome: ______________________

E non è finita qui. Ci sono ancora: il caffè con panna, con spicchio di limone, americano, all'orzo, leccese, decaffeinato e shakerato!!!!!!

(da "Il Venerdì di Repubblica")

9. Ripassiamo

Metti i verbi al tempo giusto (sono in ordine).

1. essere – 2. essere – 3. essere – 4. andare + cercare - 5. venire + consumare 6. bere – 7. avere – 8. tu/chiedere – 9. nascere – 10. essere + rispettare 11. andare + servire – 12. essere

In Italia il caffè è la bevanda nazionale. C'è chi lo vuole macchiato, chi corretto, chi lungo, chi ristretto. Ma, sebbene gli italiani 1.________________ gli inventori dell'espresso e del cappuccino, rispetto ai nordeuropei 2.________________ dei moderati consumatori. All'undicesimo posto nella graduatoria. Al primo gli svedesi, poi i norvegesi, i danesi e i finlandesi. Tuttavia, calcolare la differenza tra noi italiani e il resto del mondo in grammi e chilogrammi 3.________________ sbagliato. La diversità 4.________________ ________________ piuttosto nel modo in cui noi consumiamo il caffè: in Italia usiamo il caffè come tonico e digestivo; nei Paesi del Nord Europa 5.________________ ________________ come bevanda anche durante i pasti. Pertanto in molti Paesi (non solo in Scandinavia, ma anche in Germania, in Austria, in Svizzera, in Gran Bretagna, in Francia, negli Stati Uniti) si 6.________________ più caffè che in Italia, ma è un caffè meno forte, meno concentrato, più "lungo". Insomma, tutto il contrario del vero espresso.
Altra caratteristica tipicamente italiana è il consumo extra-domestico. Gli italiani sono più soddisfatti quando prendono il caffè al bar, insieme agli amici: in pochi metri quadrati, in piedi, un caffè veloce, ma di alta qualità. Per gli italiani bere il caffè è un rito sociale.
Il nostro modello ormai è copiatissimo in tutto il mondo. In un locale di Londra sono arrivati ad insegnare ai camerieri a urlare, perché nell'immaginario anglosassone gli italiani gesticolano e gridano. Il problema adesso è riuscire a mantenere la nostra identità e diffonderla nel mondo, altrimenti l'espresso 7.________________ lo stesso destino della pizza: se 8.________________ a un giapponese o a un americano dove 9.________________, ti rispondono a casa loro.
Ma quanti tipi di caffè possono essere chiesti a un barista? Le varietà sono infinite, l'importante è che 10. ________________ ________________ le regole del vero "espresso italiano".
Per fare un espresso "doc" sono necessari 7 grammi di caffè e acqua a 88 gradi. 11.________________ ________________ a una temperatura di 67 gradi e in una tazzina bianca. Inoltre, perché il caffè 12.________________ gustoso, la crema deve essere densa, il sapore intenso e amaro al punto giusto.
E ora, siete pronti a gustarvi un buon caffè?

10. Produzione scritta

Un tuo amico italiano sta facendo una ricerca sul tuo Paese e ti ha scritto per chiederti alcune informazioni sulle abitudini legate al bere (Quali sono le bevande tipiche del tuo Paese? Ci sono delle usanze particolari legate al consumo di queste bevande? Esiste qualcosa di simile al rituale del caffè in Italia? ecc.).
Scrivigli una lettera di risposta.

11. Ripassiamo

Completa il testo con le espressioni della lista (non sono in ordine). Aiutati con le definizioni ai lati del testo, come nell'esempio.

altrimenti - insomma - ormai - perché - perché - pertanto piuttosto - se - sebbene - tuttavia

In Italia il caffè è la bevanda nazionale. C'è chi lo vuole macchiato, chi corretto, chi lungo, chi ristretto. Ma, _*sebbene*_ gli italiani siano gli inventori dell'espresso e del cappuccino, rispetto ai nordeuropei sono dei moderati consumatori. All'undicesimo posto nella graduatoria. Al primo gli svedesi, poi i norvegesi, i danesi e i finlandesi. __________, calcolare la differenza tra noi italiani e il resto del mondo in grammi e chilogrammi sarebbe sbagliato. La diversità va cercata __________ nel modo in cui noi consumiamo il caffè: in Italia usiamo il caffè come tonico e digestivo; nei Paesi del Nord Europa viene consumato come bevanda anche durante i pasti. __________ in molti Paesi (non solo in Scandinavia, ma anche in Germania, in Austria, in Svizzera, in Gran Bretagna, in Francia, negli Stati Uniti) si beve più caffè che in Italia, ma è un caffè meno forte, meno concentrato, più "lungo". __________, tutto il contrario del vero espresso. Altra caratteristica tipicamente italiana è il consumo extra-domestico. Gli italiani sono più soddisfatti quando prendono il caffè al bar, insieme agli amici: in pochi metri quadrati, in piedi, un caffè veloce, ma di alta qualità. Per gli italiani bere il caffè è un rito sociale. Il nostro modello __________ è copiatissimo in tutto il mondo. In un locale di Londra sono arrivati ad insegnare ai camerieri a urlare, __________ nell'immaginario anglosassone gli italiani gesticolano e gridano. Il problema adesso è riuscire a mantenere la nostra identità e diffonderla nel mondo, __________ l'espresso avrà lo stesso destino della pizza: __________ chiedi a un giapponese o a un americano dove è nata, ti rispondono a casa loro.
Ma quanti tipi di caffè possono essere chiesti a un barista? Le varietà sono infinite, l'importante è che siano rispettate le regole del vero "espresso italiano".
Per fare un espresso "doc" sono necessari 7 grammi di caffè e acqua a 88 gradi. Va servito a una temperatura di 67 gradi e in una tazzina bianca. Inoltre, __________ il caffè sia gustoso, la crema deve essere densa, il sapore intenso e amaro al punto giusto.
E ora, siete pronti a gustarvi un buon caffè?

introduce una situazione in contrasto con quella della frase principale

introduce una opposizione rispetto a quello che è stato detto prima

significa "invece"

significa "perciò", "quindi"

introduce una sintesi conclusiva

introduce una causa

significa "a questo punto"

significa "in caso contrario"

introduce un ragionamento ipotetico

introduce il fine, lo scopo di un'azione

Buoni e cattivi

1. Introduzione alla lettura

a) Giudichi bene o male queste persone? Leggi la tabella e scegli una risposta.

come giudichi qualcuno che:	bene	male
a) a scuola dice all'insegnante che il proprio compagno ha copiato il compito	❍	❍
b) assiste all'abbandono di un animale e denuncia la persona responsabile	❍	❍
c) denuncia un proprio concorrente in affari che non paga le tasse	❍	❍

b) Ora confrontati con un compagno e motiva le tue scelte.

2. Lettura con problema

Leggi l'articolo e cerca di capire a cosa si riferisce "la doppia morale" del titolo.

La doppia morale

Scrive un lettore: "C'è un comportamento sul quale mi piacerebbe conoscere la sua opinione. Si tratta della delazione. In italiano già il nome ha connotazione negativa. Da bambini si impara che fare la spia è brutto… Nei paesi protestanti la delazione è un fatto positivo… D'altra parte farei molta fatica a denunciare qualcuno o qualcosa a meno che non si tratti di fatti gravi."

Che cosa ne penso?

Tema molto interessante, che è difficile trattare in poche righe. Ma grande è la tentazione, e ci provo. Dunque è vero che chi viola le norme della legge, o della morale comune, è colpevole per il semplice fatto che le viola. Quindi, se viene scoperto, dovrebbe essere denunciato e punito. Non so se questo modo di pensare corrisponde a quello della morale protestante, comunque è chiaro e lineare. Non lascia spazio a dubbi.

Poi c'è un'altra mentalità, che è quella italiana: secondo tale mentalità, la violazione della legge non sarebbe brutta in assoluto, ma andrebbe giudicata secondo il danno che produce ai terzi. E siccome fra i terzi ci siamo anche noi, il nostro comportamento è guidato semplicemente dalla convenienza. Una mentalità opportunistica, come si vede, che si basa su una doppia morale.

Se qualcuno va in giro con una pistola e ammazza la gente, telefoniamo alla polizia, perché potrebbe ammazzare anche noi. Ma se un altro si limita ad evadere le tasse?

L'evasore delle tasse produce anche lui un danno alla comunità, come quello che va in giro con la pistola, però il male che produce è indiretto, è difficilmente misurabile, e comunque non ci riguarda, se non alla lontana. E allora, perché dovremmo occuparcene? Rubi pure, finché non ruba a noi.

Cercherò di dare una risposta chiara. Ognuno di noi può decidere di volta in volta se sia il caso di denunciare il colpevole, secondo le circostanze e secondo la gravità della violazione. Dovrà farlo però apertamente, la denuncia diventa delazione quando avviene di nascosto. Anche quando non si è direttamente coinvolti, anche se si è semplici spettatori, bisogna agire con lealtà.

La mentalità opportunistica, quella da noi prevalente, potrebbe condurre a casi estremi di viscido opportunismo se si arrivasse a dire che un reato grave può essere giudicato in modo meno severo se non produce danni ai terzi. Una simile visione delle cose consentirebbe infatti qualsiasi violazione delle leggi, qualsiasi reato purché diffonda i benefici a un certo numero di complici, che staranno zitti in omaggio a un altro comportamento spregevole, quello dell'omertà. Una mentalità così opportunistica può avere un solo risultato: la corruzione.

Insomma, è umano che ogni violazione di norme sia giudicata secondo la gravità. Ma ogni violazione è un male di per sé. Beati quei paesi in cui chi la commette, una volta scoperto, è messo al bando.

(da "Il Venerdì di Repubblica")

3. Comprensione

a) Rispondi alle domande e poi confrontati con un compagno.

Secondo l'autore dell'articolo:
a) qual è la differenza tra denuncia e delazione?
b) come bisogna considerare la mentalità italiana? Perché?
c) a quali fenomeni negativi può portare la mentalità opportunistica?
d) come bisognerebbe comportarsi?

b) Scegli il significato più appropriato per ogni espressione.

riga 5 - fare la spia
a) denunciare di nascosto qualcosa o qualcuno ❍
b) rubare ❍

riga 12-13 - chi viola le norme della legge
a) chi non rispetta la legge ❍
b) chi rispetta la legge ❍

riga 23 - danno
a) guadagno, vantaggio ❍
b) male, cosa negativa ❍

riga 26-27 - mentalità opportunistica
a) modo di pensare egoistico ❍
b) modo di pensare generoso ❍

riga 32 - evadere le tasse
a) pagare molte tasse ❍
b) non pagare le tasse ❍

riga 48 - lealtà
a) onestà ❍
b) disonestà, menzogna ❍

riga 50 - prevalente
a) più diffusa, più forte ❍
b) più interessante, più intelligente ❍

riga 51 - viscido
a) ambiguo, sporco ❍
b) giusto, onesto ❍

riga 52 - reato
a) azione illegale, azione contro la legge ❍
b) guerra ❍

riga 53 - severo
a) duro, pesante ❍
b) permissivo, leggero ❍

riga 57 - complici
a) persone oneste, che rispettano la legge ❍
b) persone che partecipano a un crimine o che aiutano un criminale ❍

riga 58 - spregevole
a) comico, divertente ❍
b) negativo, che merita disprezzo ❍

riga 58-59 - omertà
a) non denunciare un'ingiustizia ❍
b) uccidere ❍

riga 63 - beati
a) fortunati ❍
b) sfortunati ❍

riga 65 - messo al bando
a) premiato ❍
b) allontanato, mandato via ❍

4. Produzione orale

L'insegnante ti assegnerà uno dei due ruoli. Leggi solo le istruzioni che ti riguardano e poi lavora con uno studente che ha un ruolo diverso dal tuo.

studente A	studente B
Antefatto. In un museo hai fotografato con il flash alcuni quadri antichi, perché non avevi letto il divieto. Un altro visitatore ti ha visto e ha avvertito il custode, che ti ha fatto una multa. *Compito.* Ti arrabbi con il visitatore che ti ha denunciato. Lo accusi di essere una spia e di occuparsi di cose che non lo riguardano.	*Antefatto.* Mentre visitavi un museo, hai visto un visitatore fotografare con il flash alcuni quadri antichi, nonostante il divieto. Perciò hai avvertito il custode, che ha fatto una multa al visitatore. *Compito.* Ti difendi dalle accuse del visitatore che è arrabbiato con te. Gli spieghi le ragioni del tuo comportamento.

5. Analisi del testo: grammatica

a) <u>Sottolinea</u> nell'articolo tutti i verbi al condizionale e poi inseriscili nella tabella insieme all'infinito, come nell'esempio.

condizionale	infinito
piacerebbe	*piacere*

b) Ora inserisci al posto giusto nella tabella i verbi al condizionale che hai trovato, come nell'esempio.

il condizionale è usato per:

esprimere una conseguenza logica	riferire in modo dubitativo una notizia non confermata o l'opinione di qualcuno	esprimere un desiderio
farei		

6. Ripassiamo

Completa il testo con le espressioni della lista (non sono in ordine). Aiutati con le definizioni ai lati del testo, come nell'esempio.

a meno che - dunque - finché - insomma - però - poi - purché - quindi - se - siccome

Scrive un lettore: "C'è un comportamento sul quale mi piacerebbe conoscere la sua opinione. Si tratta della delazione. In italiano già il nome ha connotazione negativa. Da bambini si impara che *fare la spia* è brutto... Nei paesi protestanti la delazione è un fatto positivo... D'altra parte farei molta fatica a denunciare qualcuno o qualcosa _*a meno che*_ non si tratti di fatti gravi."
Che cosa ne penso?
Tema molto interessante, che è difficile trattare in poche righe. Ma grande è la tentazione, e ci provo. __________ è vero che chi viola le norme della legge, o della morale comune, è colpevole per il semplice fatto che le viola. __________, se viene scoperto, dovrebbe essere denunciato e punito. Non so se questo modo di pensare corrisponde a quello della morale protestante, comunque è chiaro e lineare. Non lascia spazio a dubbi. __________ c'è un'altra mentalità, che è quella italiana: secondo tale mentalità, la violazione della legge non sarebbe brutta in assoluto, ma andrebbe giudicata secondo il danno che produce ai terzi. E __________ fra i terzi ci siamo anche noi, il nostro comportamento è guidato semplicemente dalla convenienza. Una mentalità opportunistica, come si vede, che si basa su una doppia morale. __________ qualcuno va in giro con una pistola e ammazza la gente, telefoniamo alla polizia, perché potrebbe ammazzare anche noi. Ma se un altro si limita ad evadere le tasse? L'evasore delle tasse produce anche lui un danno alla comunità, come quello che va in giro con la pistola, __________ il male che produce è indiretto, è difficilmente misurabile, e comunque non ci riguarda, se non alla lontana. E allora, perché dovremmo occuparcene? Rubi pure, __________ non ruba a noi.
Cercherò di dare una risposta chiara. Ognuno di noi può decidere di volta in volta se sia il caso di denunciare il colpevole, secondo le circostanze e secondo la gravità della violazione. Dovrà farlo però apertamente, la denuncia diventa delazione quando avviene di nascosto. Anche quando non si è direttamente coinvolti, anche se si è semplici spettatori, bisogna agire con lealtà. La mentalità opportunistica, quella da noi prevalente, potrebbe condurre a casi estremi di viscido opportunismo se si arrivasse a dire che un reato grave può essere giudicato in modo meno severo se non produce danni ai terzi. Una simile visione delle cose consentirebbe infatti qualsiasi violazione delle leggi, qualsiasi reato __________ diffonda i benefici a un certo numero di complici, che staranno zitti in omaggio a un altro comportamento spregevole, quello dell'omertà. Una mentalità così opportunistica può avere un solo risultato: la corruzione. ___________, è umano che ogni violazione di norme sia giudicata secondo la gravità. Ma ogni violazione è un male di per sé. Beati quei paesi in cui chi la commette, una volta scoperto, è messo al bando.

introduce una condizione

inizia un discorso

segnala una conseguenza

continua un discorso introducendo nuovi elementi

introduce una causa

introduce un ragionamento ipotetico

introduce una opposizione

indica un limite nel tempo entro il quale avviene l'azione

introduce una sintesi finale

introduce una condizione

7. Produzione scritta

Che cosa non sopporti che gli altri facciano? Quali comportamenti ti infastidiscono di più? Scrivi alcune righe e rispondi alle domande.

8. Ripassiamo

Coniuga i verbi al condizionale presente e mettili al posto giusto nel testo (non sono in ordine).

andare - consentire - dovere - dovere - essere - fare - piacere - potere - potere

Scrive un lettore: "C'è un comportamento sul quale mi _____________ conoscere la sua opinione. Si tratta della delazione. In italiano già il nome ha connotazione negativa. Da bambini si impara che *fare la spia* è brutto… Nei paesi protestanti la delazione è un fatto positivo… D'altra parte (io) _____________ molta fatica a denunciare qualcuno o qualcosa a meno che non si tratti di fatti gravi."
Che cosa ne penso?
Tema molto interessante, che è difficile trattare in poche righe. Ma grande è la tentazione, e ci provo. Dunque è vero che chi viola le norme della legge, o

della morale comune, è colpevole per il semplice fatto che le viola. Quindi, se viene scoperto, _______________ essere denunciato e punito. Non so se questo modo di pensare corrisponde a quello della morale protestante, comunque è chiaro e lineare. Non lascia spazio a dubbi.
Poi c'è un'altra mentalità, che è quella italiana: secondo tale mentalità, la violazione della legge non _______________ brutta in assoluto, ma _______________ giudicata secondo il danno che produce ai terzi. E siccome fra i terzi ci siamo anche noi, il nostro comportamento è guidato semplicemente dalla convenienza. Una mentalità opportunistica, come si vede, che si basa su una doppia morale.
Se qualcuno va in giro con una pistola e ammazza la gente, telefoniamo alla polizia, perché _______________ ammazzare anche noi. Ma se un altro si limita ad evadere le tasse?
L'evasore delle tasse produce anche lui un danno alla comunità, come quello che va in giro con la pistola, però il male che produce è indiretto, è difficilmente misurabile, e comunque non ci riguarda, se non alla lontana.
E allora, perché _______________ occuparcene? Rubi pure, finché non ruba a noi.
Cercherò di dare una risposta chiara. Ognuno di noi può decidere di volta in volta se sia il caso di denunciare il colpevole, secondo le circostanze e secondo la gravità della violazione. Dovrà farlo però apertamente, la denuncia diventa delazione quando avviene di nascosto. Anche quando non si è direttamente coinvolti, anche se si è semplici spettatori, bisogna agire con lealtà.
La mentalità opportunistica, quella da noi prevalente, _______________ condurre a casi estremi di viscido opportunismo se si arrivasse a dire che un reato grave può essere giudicato in modo meno severo se non produce danni ai terzi. Una simile visione delle cose _______________ infatti qualsiasi violazione delle leggi, qualsiasi reato purché diffonda i benefici a un certo numero di complici, che staranno zitti in omaggio a un altro comportamento spregevole, quello dell'omertà. Una mentalità così opportunistica può avere un solo risultato: la corruzione.
Insomma, è umano che ogni violazione di norme sia giudicata secondo la gravità. Ma ogni violazione è un male di per sé. Beati quei paesi in cui chi la commette, una volta scoperto, è messo al bando.

Titolo? ______________

1. Introduzione alla lettura

Nella tua lingua vengono mai utilizzate parole prese in prestito da altre lingue? Ci sono delle parole italiane che usi anche nella tua lingua? Scrivile nella tabella, poi confrontati con un compagno.

parole straniere	parole italiane

2. Lettura con problema

a) Leggi l'articolo e poi scegli il titolo che ti sembra più appropriato tra quelli proposti.

Titoli

- ❍ Agli italiani non piace l'inglese
- ❍ Agli italiani non piace il francese
- ❍ La lingua cambia? Tutta colpa della tv
- ❍ Parliamo italiano? No, grazie!
- ❍ Italiani pigri e nazionalisti

Titolo: ____

I francesi che sono nazionalisti anche sul piano linguistico, hanno eliminato le parole straniere persino nel linguaggio sportivo. I giudici del torneo di tennis del Roland Garros non dicono mai "tie-break", bensì "gioco decisivo"; né "game" ma "gioco"; né set, bensì "partita". Noi italiani siamo più tolleranti, più aperti. Anzi, le parole straniere ci piacciono, usandole pensiamo di esibire una cultura internazionale e di essere sofisticati. Il linguaggio dei giornali, dei sociologi, dei pubblicitari e di coloro che si autodefiniscono "massmediologi" è pieno di parole straniere, in gran parte inglesi: "trends" (perché non "tendenze"?), "way of life" ("stile di vita" è così brutto?), "lay-out" ("schema", "bozzetto" sono troppo "cheap", cioè "dozzinali"?).

Forse non siamo né più tolleranti, né più esterofili dei francesi (che non usano "computer", bensì "ordinatore"). Siamo soltanto più pigri. È stato scoperto che di solito usiamo circa 2500 parole delle oltre 100.000 disponibili nella nostra lingua. Noi giornalisti, per primi ricorriamo a vocaboli stranieri per non fare lo sforzo di cercare il termine italiano corrispondente. Non c'è alcun bisogno di scrivere "look" quando si può usare "aspetto"; o "week-end" in luogo di "fine settimana"; o "privacy" anziché "privatezza". È un peccato di presunzione, oltre che di pigrizia. È un cattivo servizio al lettore, il quale – come direbbero gli anglofili – non è presunto sapere l'inglese. Infine, è un impoverimento della lingua.

In compenso, il linguaggio parlato è molto ricco di stilemi, che non vogliono dire alcunché, ma sono così "trendy" (con altra parola, sono così "di moda"). Se domandate che tempo fa, vi si risponde: "Praticamente bello". Forse è un modo per non impegnarsi: potrebbe diventare brutto nel giro di qualche ora. Se chiedete di parlare con qualcuno al telefono, la segretaria vi dirà che "il Signor Caio è un attimino fuori stanza". Alla più banale delle domande, non si usa più rispondere "sì" o "no", bensì "assolutamente sì" e "assolutamente no". Che dire, poi, di "nella misura in cui", o dell'aggettivo "imbarazzante"? Come ha giocato quella tale squadra? "Nella misura in cui mancava di tre titolari fondamentali per l'insieme, non ha giocato male". Come ha cantato il tal cantante? "Imbarazzante". Per chi? Per lui? Per gli ascoltatori? Per la musica italiana?

La televisione ha avuto il merito di unificare linguisticamente l'Italia. Ma, da qualche anno a questa parte, ha il demerito di contribuire all'impoverimento della lingua italiana, talvolta persino al suo imbarbarimento diffondendo un uso limitato e sovente sbagliato della lingua. E i giornali, ahimé, si adeguano al linguaggio televisivo per conquistare un pubblico che legge sempre meno libri e si nutre sempre più di televisione.

(da "Il Venerdì di Repubblica")

b) Hai scelto il titolo? Ora confrontati con un compagno e motiva la tua scelta.

c) In coppia, inventate voi un altro titolo.

3. Comprensione

a) Scegli il significato giusto per ogni parola.

riga 10 - esterofili:
a) amanti di ciò che è straniero ❍
b) nazionalisti ❍

riga 11 - pigri:
a) persone poco intelligenti ❍
b) persone che hanno poca voglia di fare ❍

riga 13 - sforzo:
a) lavoro, fatica ❍
b) riposo, vacanza ❍

riga 19 - stilemi:
a) parole volgari ❍
b) modi di dire tipici di un certo stile ❍

riga 24 - banale:
a) stupido, semplice ❍
b) interessante, intelligente ❍

riga 31 - imbarbarimento:
a) miglioramento ❍
b) decadimento ❍

riga 33 - si nutre (inf. nutrirsi):
a) alimentarsi, prendere il necessario per vivere ❍
b) lavorare molto ❍

b) Prendi in considerazione l'articolo e rispondi alle seguenti domande. Poi confrontati con un compagno e motiva le tue scelte.

1. Secondo te, il tono generale dell'articolo è:

❍ serio ❍ distaccato

❍ ironico ❍ drammatico

❍ critico ❍ altro: _______________

2. Riguardo all'uso di parole straniere nella lingua italiana secondo te l'autore è:

❍ favorevole ❍ contrario

❍ indifferente ❍ irritato

❍ divertito ❍ meravigliato

❍ scettico ❍ incuriosito

❍ altro: _______________

4. Produzione orale

Sei in accordo o in disaccordo con il pensiero dell'autore? Parlane con un compagno.

5. Analisi del testo: lessico

Nell'articolo ci sono alcune parole ed espressioni che appartengono ad uno stile più elevato, letterario o che sostituiscono quelle di uso più comune. Prova ad indovinare quali sono.

espressione di uso comune	espressione usata nell'articolo
1. anche	
2. ma	
3. quelli	
4. nessuno	
5. invece, al posto di*	
6. invece, al posto di*	
7. niente	
8. qualche volta	
9. spesso	
10. purtroppo	

**nell'articolo ci sono due sinomini di queste espressioni*

6. Produzione scritta

Come ti avvicini allo studio di una lingua straniera? Oltre al lavoro svolto in classe che cosa ritieni utile fare da solo/a per fare progressi? Sei soddisfatto/a del metodo di insegnamento della tua scuola?

7. Ripassiamo

Inserisci le parole al posto giusto nel testo.

ahimé - alcun - alcunché - anziché - bensì - bensì - bensì - bensì - coloro - persino - soltanto - sovente - talvolta

I francesi che sono nazionalisti anche sul piano linguistico, hanno eliminato le parole straniere ____________ nel linguaggio sportivo. I giudici del torneo di tennis del Roland Garros non dicono mai "tie-break", ____________ "gioco decisivo"; né "game" ma "gioco"; né set, ____________ "partita". Noi italiani siamo più tolleranti, più aperti. Anzi, le parole straniere ci piacciono, usandole pensiamo di esibire una cultura internazionale e di essere sofisticati. Il linguaggio dei giornali, dei sociologi, dei pubblicitari e di ____________ che si autodefiniscono "massmediologi" è pieno di parole straniere, in gran parte inglesi: "trends" (perché non "tendenze"?), "way of life" ("stile di vita" è così brutto?), "lay-out" ("schema", "bozzetto" sono troppo "cheap", cioè "dozzinali"?). Forse non siamo né più tolleranti, né più esterofili dei francesi (che non usano "computer", ____________ "ordinatore"). Siamo ____________ più pigri. È stato scoperto che di solito usiamo circa 2500 parole delle oltre 100.000 disponibili nella nostra lingua. Noi giornalisti, per primi ricorriamo a vocaboli stranieri per non fare lo sforzo di cercare il termine italiano corrispondente. Non c'è ____________ bisogno di scrivere "look" quando si può usare "aspetto"; o "week-end" in luogo di "fine settimana"; o "privacy" ____________ "privatezza". È un peccato di presunzione, oltre che di pigrizia. È un cattivo servizio al lettore, il quale – come direbbero gli anglofili – non è presunto sapere l'inglese. Infine, è un impoverimento della lingua.
In compenso, il linguaggio parlato è molto ricco di stilemi, che non vogliono dire ____________, ma sono così "trendy" (con altra parola, sono così "di moda"). Se domandate che tempo fa, vi si risponde: "Praticamente bello". Forse è un modo per non impegnarsi: potrebbe diventare brutto nel giro di qualche ora. Se chiedete di parlare con qualcuno al telefono, la segretaria vi dirà che "il Signor Caio è un attimino fuori stanza". Alla più banale delle domande, non si usa più rispondere "sì" o "no", ____________ "assolutamente sì" e "assolutamente no". Che dire, poi, di "nella misura in cui", o dell'aggettivo "imbarazzante"? Come ha giocato quella tale squadra? "Nella misura in cui mancava di tre titolari fondamentali per l'insieme, non ha giocato male". Come ha cantato il tal cantante? "Imbarazzante". Per chi? Per lui? Per gli ascoltatori? Per la musica italiana? La televisione ha avuto il merito di unificare linguisticamente l'Italia. Ma, da qualche anno a questa parte , ha il demerito di contribuire all'impoverimento della lingua italiana, ____________ persino al suo imbarbarimento diffondendo un uso limitato e ____________ sbagliato della lingua. E i giornali, ____________, si adeguano al linguaggio televisivo per conquistare un pubblico che legge sempre meno libri e si nutre sempre più di televisione.

La ____________________

1. Introduzione alla lettura

a) Indovinello. Leggi l'inizio dell'articolo e, insieme a un compagno, cerca di immaginare quale comportamento studia l'antropologa americana.
Poi confrontatevi con altri compagni.

> Bernalda è un paese in provincia di Matera, Basilicata, profondo Sud. Ha dodicimila abitanti. Tra loro, da qualche anno, c'è anche Dorothy Louise Zinn, un'antropologa americana che è qui per studiare i loro comportamenti. Per essere più precisi, Dorothy Louise Zinn è qui per studiarne uno in particolare, quello più interessante dal punto di vista antropologico e sociale: la __________________.

b) Non avete capito? Allora leggete alcune definizioni di questo comportamento.

È un'abitudine che molti considerano immorale.

È un "aiuto" che si può chiedere a parenti o amici.

Si chiama anche "spintarella".

Spesso si chiede per avere un lavoro.

Quando si fa con i soldi diventa corruzione.

Se non avete ancora capito di che cosa si tratta o se volete avere una conferma alle vostre ipotesi, girate pagina.

c) Leggi e scopri qual è il comportamento che studia l'antropologa americana.

Bernalda è un paese in provincia di Matera, Basilicata, profondo Sud. Ha dodicimila abitanti. Tra loro, da qualche anno, c'è anche Dorothy Louise Zinn, un'antropologa americana che è qui per studiare i loro comportamenti. Per essere più precisi, Dorothy Louise Zinn è qui per studiarne uno in particolare, quello più interessante dal punto di vista antropologico e sociale: la raccomandazione.

2. Lettura con problema

Ora leggi il resto dell'articolo e completalo con le frasi della lista.

la persona da favorire fosse quella che in realtà non aveva chiesto nulla

l'altro avesse una raccomandazione più potente

sia solo più raffinato ma ugualmente diffuso

fosse una regola sociale non scritta

fosse quello della raccomandazione

arriverebbe tardi senza l'aiuto del funzionario amico

volesse essere raccomandata per un concorso

fosse iscritta nel proprio destino

abbiano avuto a che fare con una raccomandazione

"Questo fenomeno", dice la Zinn, "tocca praticamente tutti gli aspetti della vita di Bernalda, come se ________________________ ma comunemente condivisa. È probabile che tutti i bernaldesi, in un modo o nell'altro, chi frequentemente chi solo qualche volta, ________________________."
Su questo aspetto della vita dei bernaldesi ora l'antropologa americana ha scritto anche un libro: "La raccomandazione", pagg. 222, ed. Donzelli.
Quando Dorothy Louise Zinn venne per la prima volta in Italia era il 1986. All'inizio degli anni '90 andò a vivere a Bernalda, dove sposò un avvocato. In quel periodo l'antropologa stava studiando il problema della disoccupazione, ma poi le sembrò che il fenomeno più interessante da analizzare ________________________.

Secondo la Zinn "la raccomandazione per i bernaldesi non è solo un'abitudine sociale, una caratteristica della loro mentalità e del loro modo di comunicare, ma è anche un elemento decisivo della loro identità di meridionali."
Questo non significa riproporre il solito stereotipo che vuole il Sud disonesto e corrotto, in cui trionfano la furbizia e l'arte di arrangiarsi, in opposizione al Nord efficiente, onesto e lavoratore. Infatti, dice la Zinn "non esistono studi sulla raccomandazione nelle regioni del Nord, ma è probabile che lì questo comportamento ____: più che di raccomandazioni parliamo di favori, spintarelle, piccole cortesie..."
Inoltre raccomandazioni, favoritismi, corruzione e tangenti sono diffusi anche in altri Paesi: "negli Stati Uniti la lettera di raccomandazione è un'abitudine comune", scrive la Zinn "e episodi di corruzione più o meno gravi accadono in Germania, in Francia, nei Paesi dell'Est."
Tutto il mondo è paese, si può dire. Eppure a Bernalda la raccomandazione è vissuta come se ____.
L'abitudine comincia dalla nascita, quando le donne partoriscono e regalano dei soldi alle infermiere dell'ospedale per avere una stanza più comoda. Continua quando si cerca per il proprio bambino un posto nella classe migliore della scuola e allora si tenta di avvicinare il preside, facendo il nome di qualcuno. Tutta la carriera scolastica è accompagnata dalle raccomandazioni. Una raccomandazione serve per entrare in una scuola a numero chiuso, per iscriversi in un istituto migliore degli altri, per passare l'esame universitario. Poi serve per evitare il servizio militare, per avere un lavoro, e dopo per avere una pensione, alla quale certamente si ha diritto ma che ______________________________ o del candidato alle elezioni che un parente riesce ad avvicinare. Infine, quando si muore, la raccomandazione è necessaria perfino per avere un buon loculo al cimitero.
"La raccomandazione è uno schema interpretativo per ogni situazione", scrive la Zinn. E infatti a Bernalda la raccomandazione serve per tutte le occasioni, piccole e grandi: per evitare la fila all'ufficio postale dove lavora un amico cassiere o per avere uno sconto in un negozio, per avere il passaporto senza andare in questura ma chiedendo aiuto a un parente, per fare una visita medica senza pagare, per l'assegnazione di una casa. Un vecchio avvocato ricorda che in una causa civile uno dei due contendenti, un negoziante, riuscì ad avere una raccomandazione attraverso un suo amico che conosceva il giudice. Ma poiché, come spesso succede nei piccoli paesi, i due avversari avevano lo stesso cognome, il giudice credette che ____, e così il negoziante perse la causa. E naturalmente tutti pensarono che ____.
Alla fine, si arriva a situazioni paradossali. Carmelina, una ragazza intervistata da Dorothy Louise Zinn, racconta che il fratello le chiese se ____. E lei rispose: "Sì, ma solo per essere trattata normalmente, perché anche tutti gli altri partecipanti hanno la spintarella."

3. Comprensione

Secondo l'antropologa Dorothy Louise Zinn, quali sono le caratteristiche del fenomeno della raccomandazione a Bernalda? Che differenze ci sono con gli altri posti? Rileggi l'articolo e discutine con un compagno.

4. Analisi del testo: lessico

Collega ogni espressione al giusto significato, come nell'esempio.

riga	espressione del testo	significato
19	**a. stereotipo** →	1. direttore di una scuola
20	b. furbizia	2. discussione in tribunale
20	c. arte di arrangiarsi	3. soldi che si danno per corrompere qualcuno
24	d. favoritismi	4. capacità di adattarsi a tutte le situazioni
24	e. tangenti	**5. luogo comune, pensiero molto diffuso**
31	f. preside	6. spazio per la tomba
37	g. perfino	7. intelligenza, astuzia
37	h. loculo	8. avversari, persone che sono su posizioni diverse
44	i. causa	9. preferenze, trattamenti speciali
44	l. contendenti	10. anche

1 Bernalda è un paese in provincia di Matera, Basilicata, profondo Sud. Ha dodicimila abitanti. Tra loro, da qualche anno, c'è anche Dorothy Louise Zinn, un'antropologa americana che è qui per studiare i loro comportamenti. Per essere più precisi, Dorothy Louise Zinn è qui per studiarne uno in particolare, quello più interessante
5 dal punto di vista antropologico e sociale: la raccomandazione.
"Questo fenomeno", dice la Zinn, "tocca praticamente tutti gli aspetti della vita di Bernalda, come se fosse una regola sociale non scritta ma comunemente condivisa. È probabile che tutti i bernaldesi, in un modo o nell'altro, chi frequentemente chi solo qualche volta, abbiano avuto a che fare con una raccomandazione."
10 Su questo aspetto della vita dei bernaldesi ora l'antropologa americana ha scritto anche un libro: "La raccomandazione", pagg. 222, ed. Donzelli.
Quando Dorothy Louise Zinn venne per la prima volta in Italia era il 1986. All'inizio degli anni '90 andò a vivere a Bernalda, dove sposò un avvocato. In quel periodo l'antropologa stava studiando il problema della disoccupazione, ma poi le
15 sembrò che il fenomeno più interessante da analizzare fosse quello della raccomandazione. Secondo la Zinn "la raccomandazione per i bernaldesi non è solo un'abitudine sociale, una caratteristica della loro mentalità e del loro modo di comunica-

re, ma è anche un elemento decisivo della loro identità di meridionali."
Questo non significa riproporre il solito stereotipo che vuole il Sud disonesto e corrotto, in
20 cui trionfano la furbizia e l'arte di arrangiarsi, in opposizione al Nord efficiente, onesto e lavoratore. Infatti, dice la Zinn "non esistono studi sulla raccomandazione nelle regioni del Nord, ma è probabile che lì questo comportamento sia solo più raffinato ma ugualmente diffuso: più che di raccomandazioni parliamo di favori, spintarelle, piccole cortesie..."
Inoltre raccomandazioni, favoritismi, corruzione e tangenti sono diffusi anche in altri Paesi:
25 "negli Stati Uniti la lettera di raccomandazione è un'abitudine comune", scrive la Zinn "e episodi di corruzione più o meno gravi accadono in Germania, in Francia, nei Paesi dell'Est." Tutto il mondo è paese, si può dire. Eppure a Bernalda la raccomandazione è vissuta come se fosse iscritta nel proprio destino. L'abitudine comincia dalla nascita, quando le donne partoriscono e regalano dei soldi alle infermiere dell'ospedale per avere una stanza più comoda.
30 Continua quando si cerca per il proprio bambino un posto nella classe migliore della scuola e allora si tenta di avvicinare il preside, facendo il nome di qualcuno. Tutta la carriera scolastica è accompagnata dalle raccomandazioni. Una raccomandazione serve per entrare in una scuola a numero chiuso, per iscriversi in un istituto migliore degli altri, per passare l'esame universitario. Poi serve per evitare il servizio militare, per avere un lavoro, e dopo per avere
35 una pensione, alla quale certamente si ha diritto ma che arriverebbe tardi senza l'aiuto del funzionario amico o del candidato alle elezioni che un parente riesce ad avvicinare. Infine, quando si muore, la raccomandazione è necessaria perfino per avere un buon loculo al cimitero.
"La raccomandazione è uno schema interpretativo per ogni situazione", scrive la Zinn. E
40 infatti a Bernalda la raccomandazione serve per tutte le occasioni, piccole e grandi: per evitare la fila all'ufficio postale dove lavora un amico cassiere o per avere uno sconto in un negozio, per avere il passaporto senza andare in questura ma chiedendo aiuto a un parente, per fare una visita medica senza pagare, per l'assegnazione di una casa.
Un vecchio avvocato ricorda che in una causa civile uno dei due contendenti, un negozian-
45 te, riuscì ad avere una raccomandazione attraverso un suo amico che conosceva il giudice. Ma poiché, come spesso succede nei piccoli paesi, i due avversari avevano lo stesso cognome, il giudice credette che la persona da favorire fosse quella che in realtà non aveva chiesto nulla, e così il negoziante perse la causa. E naturalmente tutti pensarono che l'altro avesse una raccomandazione più potente.
50 Alla fine, si arriva a situazioni paradossali. Carmelina, una ragazza intervistata da Dorothy Louise Zinn, racconta che il fratello le chiese se volesse essere raccomandata per un concorso. E lei rispose: "Sì, ma solo per essere trattata normalmente, perché anche tutti gli altri partecipanti hanno la spintarella."

(da "la Repubblica")

5. Analisi del testo: grammatica

a) Trova nell'articolo i verbi o le espressioni principali mancanti nella tabella, come nell'esempio.

verbo o espressione principale	verbo dipendente
1. *È probabile che...*	...abbiano avuto a che fare con una raccomandazione
2.	...fosse quello della raccomandazione
3.	...sia solo più raffinato ma ugualmente diffuso
4.	...fosse quella che in realtà non aveva chiesto nulla
5.	...avesse una raccomandazione più potente
6.	...volesse essere raccomandata per un concorso

b) Ora considera i verbi o le espressioni principali che hai trovato e inseriscili al posto giusto nella tabella qui sotto.

verbi che introducono un'opinione*	espressioni che introducono un'opinione*	verbi che introducono una frase interrogativa

* *opinione= idea soggettiva, personale, non certa; supposizione*

c) Completa lo schema della concordanza dei modi indicativo e congiuntivo, con gli elementi della prima tabella (punto a).

verbi o espressioni principali (indicativo)	verbi dipendenti (congiuntivo)
1. indicativo presente: ____________ ➤	congiuntivo presente: ____________
2. indicativo presente: ____________ ➤	congiuntivo passato: ____________
3. indicativo passato: ____________ ➤	congiuntivo imperfetto: ____________
4. indicativo passato: ____________ ➤	congiuntivo imperfetto: ____________
5. indicativo passato: ____________ ➤	congiuntivo imperfetto: ____________
6. indicativo passato: ____________ ➤	congiuntivo imperfetto: ____________

6. Produzione orale

L'insegnante ti assegnerà uno dei due ruoli. Leggi le istruzioni che ti riguardano, poi lavora in coppia con un compagno che ha le istruzioni diverse dalle tue.

studente A	studente B
Per partecipare a un importante concorso di lavoro, hai chiesto a un amico di raccomandarti, perché ti hanno detto che tutti avevano una "spintarella". Hai vinto il concorso. Ora sei molto contento perché finalmente sei riuscito ad avere il lavoro che hai sempre sognato. Ma il secondo arrivato è molto arrabbiato con te e ti accusa di essere un raccomandato. Cerca di giustificarti.	Sei arrivato secondo in un importante concorso di lavoro, ma il posto era solo uno. Sei molto deluso, perché era il lavoro che hai sempre sognato. Avevi studiato tanto per averlo. Hai saputo che il vincitore è un raccomandato. Sei molto arrabbiato. Lo incontri per dirgli cosa pensi di lui.

7. Analisi del testo: grammatica

a) In questa parte dell'articolo ci sono due verbi al gerundio. Quali sono?

Tutto il mondo è paese, si può dire. Eppure a Bernalda la raccomandazione è vissuta come se fosse iscritta nel proprio destino. L'abitudine comincia dalla nascita, quando le donne partoriscono e regalano dei soldi alle infermiere dell'ospedale per avere una stanza più comoda. Continua quando si cerca per il proprio bambino un posto nella classe migliore della scuola e allora si tenta di avvicinare il preside, facendo il nome di qualcuno. Tutta la carriera scolastica è accompagnata dalle raccomandazioni. Una raccomandazione serve per entrare in una scuola a numero chiuso, per iscriversi in un istituto migliore degli altri, per passare l'esame universitario. Poi serve per evitare il servizio militare, per avere un lavoro, e dopo per avere una pensione, alla quale certamente si ha diritto ma che arriverebbe tardi senza l'aiuto del funzionario amico o del candidato alle elezioni che un parente riesce ad avvicinare. Infine, quando si muore, la raccomandazione è necessaria perfino per avere un buon loculo al cimitero.
"La raccomandazione è uno schema interpretativo per ogni situazione", scrive la Zinn. E infatti a Bernalda la raccomandazione serve per tutte le occasioni, piccole e grandi: per evitare la fila all'ufficio postale dove lavora un amico cassiere o per avere uno sconto in un negozio, per avere il passaporto senza andare in questura ma chiedendo aiuto a un parente, per fare una visita medica senza pagare, per l'assegnazione di una casa.

b) Che funzione hanno i 2 verbi al gerundio che hai trovato? Scrivili negli spazi vuoti e scegli la funzione giusta.

verbo n. 1: ____________________

❍ funzione causale (= perché?)
❍ funzione modale (= come?)
❍ funzione temporale (= quando?)

verbo n. 2: ____________________

❍ funzione causale (= perché?)
❍ funzione modale (= come?)
❍ funzione temporale (= quando?)

c) Osserva queste due frasi: quale tempo è usato dopo l'espressione "come se"?

"Questo fenomeno", dice la Zinn, "tocca praticamente tutti gli aspetti della vita di Bernalda, **come se** fosse una regola sociale non scritta ma comunemente condivisa.

Tutto il mondo è Paese, si può dire. Eppure a Bernalda la raccomandazione è vissuta **come se** fosse iscritta nel proprio destino.

8. Esercizio

Completa le frasi. Puoi scrivere quello che vuoi, ma attento alla grammatica!

1) I raccomandati si comportano come se ____________________________
2) Chi dice che il fenomeno della raccomandazione esiste solo al Sud, ragiona come se ____________________________
3) Gli abitanti di Bernalda vivono come se la raccomandazione ________________ ____________________________

9. Produzione scritta

Hai mai avuto a che fare direttamente o indirettamente con i fenomeni descritti nell'articolo? Come li consideri? Scrivi alcune righe sull'argomento.

10. Ripassiamo

Metti i verbi al tempo giusto (sono in ordine).

1. essere - 2. avere - 3. andare - 4. essere - 5. essere - 6. essere - 7. fare - 8. arrivare
9. chiedere - 10. credere - 11. essere - 12. pensare - 13. avere
14. volere - 15. rispondere

Bernalda è un paese in provincia di Matera, Basilicata, profondo Sud. Ha dodicimila abitanti. Tra loro, da qualche anno, c'è anche Dorothy Louise Zinn, un'antropologa americana che è qui per studiare i loro comportamenti. Per essere più precisi, Dorothy Louise Zinn è qui per studiarne uno in particolare, quello più interessante dal punto di vista antropologico e sociale: la raccomandazione.
"Questo fenomeno", dice la Zinn, "tocca praticamente tutti gli aspetti della vita di Bernalda, come se 1.______________ una regola sociale non scritta ma comunemente condivisa. È probabile che tutti i bernaldesi, in un modo o nell'altro, chi frequentemente chi solo qualche volta, 2.______________ a che fare con una raccomandazione."
Su questo aspetto della vita dei bernaldesi ora l'antropologa americana ha scritto anche un libro: "La raccomandazione", pagg. 222, ed. Donzelli.
Quando Dorothy Louise Zinn venne per la prima volta in Italia era il 1986. All'inizio degli anni '90 3.______________ a vivere a Bernalda, dove sposò un avvocato. In quel periodo l'antropologa stava studiando il problema della disoccupazione, ma poi le sembrò che il fenomeno più interessante da analizzare 4.______________ quello della raccomandazione.
Secondo la Zinn "la raccomandazione per i bernaldesi non è solo un'abitudine sociale, una caratteristica della loro mentalità e del loro modo di comunicare, ma è anche un elemento decisivo della loro identità di meridionali." Questo non significa riproporre il solito stereotipo che vuole il Sud disonesto e corrotto, in cui trionfano la furbizia e l'arte di arrangiarsi, in opposizione al Nord efficiente, onesto e lavoratore. Infatti, dice la Zinn "non esistono studi sulla raccomandazione nelle regioni del Nord, ma è probabile che lì questo comportamento 5.______________ solo più raffinato ma ugualmente diffuso: più che di raccomandazioni parliamo di favori, spintarelle, piccole cortesie..." Inoltre raccomandazioni, favoritismi, corruzione e tangenti sono diffusi anche in altri Paesi: "negli Stati Uniti la lettera di raccomandazione è un'abitudine comune", scrive la Zinn "e episodi di corruzione più o meno gravi accadono in Germania, in Francia, nei Paesi dell'Est."
Tutto il mondo è paese, si può dire. Eppure a Bernalda la raccomandazione è vissuta come se 6.______________ iscritta nel proprio destino. L'abitudine comincia dalla

nascita, quando le donne partoriscono e regalano dei soldi alle infermiere dell'ospedale per avere una stanza più comoda. Continua quando si cerca per il proprio bambino un posto nella classe migliore della scuola e allora si tenta di avvicinare il preside, 7.______________ il nome di qualcuno. Tutta la carriera scolastica è accompagnata dalle raccomandazioni. Una raccomandazione serve per entrare in una scuola a numero chiuso, per iscriversi in un istituto migliore degli altri, per passare l'esame universitario. Poi serve per evitare il servizio militare, per avere un lavoro, e dopo per avere una pensione, alla quale certamente si ha diritto ma che 8.______________ tardi senza l'aiuto del funzionario amico o del candidato alle elezioni che un parente riesce ad avvicinare. Infine, quando si muore, la raccomandazione è necessaria perfino per avere un buon loculo al cimitero.

"La raccomandazione è uno schema interpretativo per ogni situazione", scrive la Zinn. E infatti a Bernalda la raccomandazione serve per tutte le occasioni, piccole e grandi: per evitare la fila all'ufficio postale dove lavora un amico cassiere o per avere uno sconto in un negozio, per avere il passaporto senza andare in questura ma 9.______________ aiuto a un parente, per fare una visita medica senza pagare, per l'assegnazione di una casa. Un vecchio avvocato ricorda che in una causa civile uno dei due contendenti, un negoziante, riuscì ad avere una raccomandazione attraverso un suo amico che conosceva il giudice. Ma poiché, come spesso succede nei piccoli paesi, i due avversari avevano lo stesso cognome, il giudice 10.______________ che la persona da favorire 11.______________ quella che in realtà non aveva chiesto nulla, e così il negoziante perse la causa. E naturalmente tutti 12.______________ che l'altro 13.______________ una raccomandazione più potente.

Alla fine, si arriva a situazioni paradossali. Carmelina, una ragazza intervistata da Dorothy Louise Zinn, racconta che il fratello le chiese se 14.______________ essere raccomandata per un concorso. E lei 15.______________: "Sì, ma solo per essere trattata normalmente, perché anche tutti gli altri partecipanti hanno la spintarella."

Soluzioni

1. Luoghi comuni

Attività 3: chiacchieroni (b), confusionari (a), pigri (c), passionali (a)

Attività 5: *maschile singolare*: il Paradiso, il posto, l'inglese, il poliziotto, il tedesco, il meccanico, il francese, il cuoco, l'italiano, l'amante, lo svizzero, il rumore, il dialogo, il lavoro, l'autobus, il computer; *maschile plurale*: gli inglesi, i cuochi, i tedeschi, i francesi, gli svizzeri, gli italiani; *femminile singolare*: la guida, la tua ragazza; *femminile plurale*: le cascate, le mattine

Attività 6a: *maschile singolare*: l'inglese, l'americano; *maschile plurale*: gli italiani, gli svizzeri, i tedeschi, i francesi, gli spagnoli, i giapponesi

Attività 6b: *femminile singolare*: l'italiana, l'inglese, la svizzera, la tedesca, la francese, l'americana, la spagnola, la giapponese; *femminile plurale*: le italiane, le inglesi, le svizzere, le tedesche, le francesi, le americane, le spagnole, le giapponesi

Attività 8a e 8b: le soluzioni sono i testi originali a pag. 9

2. Meglio soli... che male accompagnati

Attività 2a: *Alessandra*: no; *Alessandro*: sì

Attività 4a: *io/andare*: vado (2); *io/avere*: ho (2); *lui/lei/avere*: ha (2); *loro/avere*: hanno; *io/dovere*: devo; *lui/lei/dovere*: deve; *io/essere*: sono (2); *lui/lei/essere*: è (6); *loro/essere*: sono (5); *io/fare*: faccio (2); *io/potere*: posso; *loro/potere:* possono; *tu/sapere*: sai; *io/uscire*: esco; *io/volere*: voglio; *tu/volere*: vuoi; *lui/lei volere*: vuole

Attività 4b: 2: Non posso lamentarmi; 3: Mi piacerebbe molto trovare un uomo; 4: nessuno vuole stare con te; 5: tu non vuoi stare con nessuno; 6: non voglio rimanere single per sempre; 7: sai bene come deve essere la tua donna; 8: possono vivere un rapporto di coppia più intelligente

Attività 5: *Possibile soluzione* - 2. Può uscire tutte le sere con gli amici; 3. Deve cucinare e mangiare da solo; 4. Può tornare a casa tardi senza avvisare nessuno; 5. Deve fare la spesa; 6. Non vuole avere un partner stabile; 7. Può essere disordinato; 8. Può avere tante relazioni

Attività 7a: *Alessandra:* mi sento, Mi metto; *Alessandro:* mi sveglio, Mi sento. *Inoltre nel testo di "Alessandra" c'è un verbo riflessivo all'infinito:* lamentarmi; *e nel testo di "Alessandro" c'è un verbo che potrebbe sembrare riflessivo ma che è in realtà un verbo reciproco:* si incontrano.

Attività 7b: tu ti occupi, lui/lei si occupa, noi ci occupiamo, voi vi occupate, loro si occupano

Attività 8: la soluzione è il testo originale a pag. 15

3. Casa dolce casa

Attività 3: *Possibile soluzione - tipologie dominanti*: 1. trentenni sposati; 2. quarantenni-cinquantenni; 3. sessanta-settantenni; 4. camera dei ragazzi; 5. single; *caratteristiche generali*: 1. appartamenti non molto ricchi, centrale è la cucina; 2. domina il soggiorno, privo di identità e di calore, mobili molto kitsch; 3. molti pezzi di arredamento notevoli; 4. stanze cariche di oggetti spesso inutili; 5. arredamento libero, è centrale la camera da letto

Attività 5a: 1. appartamenti; 2. abitazioni

Attività 5b: 1. soggiorni/soggiorno; 2. cucine/cucina; 3. bagni; 4. camere/camera da letto; 5. camera dei ragazzi

Attività 7a: riviste **specializzate**, teatrino **domestico**, oggetti **disordinati**, ricercatrici **milanesi**, ricerca **curiosa**, tradizione **contadina**, tipologie **dominanti**, classi **sociali**, stanze **cariche**, arredamento **libero**, posizione **orizzontale**

Attività 7b: casa vera, rivista specializzata, teatrini domestici, oggetto disordinato, ricercatrice milanese, ricerche curiose, tradizioni contadine, tipologia dominante, classe sociale, stanza carica, arredamenti liberi, posizioni orizzontali

Attività 8: n° 1. Professor Ginsborg, qual è la sua prima impressione guardando queste immagini? **n° 2.** Quali sono invece gli elementi di continuità con il passato? **n° 3.** Ci sono molti vuoti nei soggiorni. Pochi libri. Pochi quadri. Che ne pensa? **n° 4.** Quali differenze ci sono tra le case degli italiani e quelle dei suoi connazionali?

Attività 11a: la soluzione è il testo originale a pag. 20

Attività 11b: la soluzione è il testo originale a pag. 24

Attività 11c: la soluzione è il testo originale a pag. 20

4. Non è vero ma ci credo!

Attività 2b: *Personaggio n. 2*: Giulia Staccioli (campionessa di ginnastica ritmica e danzatrice); *Personaggio n. 3*: Carmen Covito (scrittrice); *Personaggio n. 4*: Patrizia Scarselli (architetto); *Personaggio n. 5*: Maurizio Nichetti (regista)

Attività 3: *personaggio*: 1. Giancarlo Soldi; 2: Giulia Staccioli; 3: Carmen Covito; 4: Patrizia Scarselli; 5: Maurizio Nichetti; *portafortuna*: 1. una collana; 2. un anello; 3. l'agendina; 4. una collana di corallo/quattro foglietti con dei disegnini della figlia; 5. un cappuccio; *perché*: 1. gli dà un'energia positiva; 2. le sembra di sentire la nonna vicino a lei; 3. è come un'altra parte di lei; 4. (la collana di corallo) la fa sentire bene, le trasmette una grande energia positiva/(i foglietti con i disegnini) hanno su di lei un effetto benefico; 5. per ragioni pratiche, è una specie di protezione contro la negatività, lo fa sentire al sicuro

Attività 4a e 4b:
passato prossimo con "avere": ci ha detto/uno sciamano tuareg/-o; mi hanno fatto/gli uomini occidentali/-o; hanno fotografato/alcuni turisti/-o; hanno fatto/alcuni turisti/-o; le hanno usate/alcuni turisti/-e; l'hanno chiamata/alcuni turisti/-a; abbiamo girato/(noi)/-o; mi ha dato/il tuareg/-o; l'ho... portata/(io)/-a; mi ha lasciato/mia nonna/-o; ho deciso/(io)/-o; ne ho fatto/(io)/-o; l'ho ritrovata/(io)/-a; ho scoperto/(io)/-o; mi ha fatto/mia figlia/-o; ho scelto/(io)/-o
passato prossimo con "essere": è arrivato/uno sciamano tuareg/-o; sono venuti/alcuni turisti/-i; mi è successo/-/-o; mi sono sentita/(io)/-a; è finita/(questa storia, questa vicenda)/-a; è diventato/(un largo cappuccio)/-o

Attività 4c: nei verbi con ausiliare "avere" l'ultima lettera è "o"; quando però il passato prossimo è preceduto da un pronome diretto il participio passato concorda con il pronome (l'oggetto). Nei verbi con ausiliare "essere" il participio passato concorda con il soggetto.

Attività 6a e 6b: la soluzione è il testo originale a pag. 35

Attività 6c: Mi ha successo/Mi è successo, l'ho ritrovato/l'ho ritrovata

Attività 6d: Ha una collana di corallo che mette soltanto per importanti occasioni professionali o in momenti difficili della sua vita privata. È un oggetto che la fa sentire bene: il corallo non è una pietra morta ed è questa proprietà che probabilmente è capace di trasmetterle una grande energia positiva. Ma non è finita qui. In tasca, o più spesso nel portafoglio, porta con sé anche quattro foglietti con dei disegnini che le ha fatto sua figlia molto tempo fa, in un periodo molto triste della sua vita. Anche questi piccoli biglietti hanno su di lei un effetto benefico. Crede molto nel potere degli oggetti e affida loro la sua fortuna.

Attività 6e: la soluzione è il testo originale a pag. 30

5. Come eravamo

Attività 1: *personaggio n. 1*: donna; *personaggio n. 2*: donna; *personaggio n. 3*: uomo; *personaggio n. 4*: uomo

Attività 2: Bianca Pitzorno – scrittrice. Personaggio n. 2; Roberto Piumini – scrittore. Personaggio n. 4; Dacia Maraini – scrittrice. Personaggio n. 1; Francesco Tullio Altan – disegnatore. Personaggio n. 3

Attività 3: la soluzione è soggettiva

Attività 4a: *imperfetto indicativo*: erano, dimenticavo, ero, sapeva, incontravo, avevo, andava, Volevo, separava, era, facevano, era, Era, ero, era, era, si vedeva, Potevo, volevo, ero, ero, ero, scrivevo, avevo, combattevano, si giocava, si faceva, era, chiamavamo; *passato prossimo*: ha dato, ha chiamato, ho colpito, ho trovato, Ho pensato; *trapassato prossimo*: aveva preso, aveva spaventato

Attività 4b: 1. l'imperfetto; 2. l'imperfetto; 3. il passato prossimo

Attività 4c: 1. Imperfetto di *essere* o *avere* + participio passato del verbo; 2. Di solito si usa per esprimere un'azione passata avvenuta prima di un'altra azione passata.

Attività 5a: 1. Abitavo - 2. era - 3. era - 4. sapevo

Attività 5b: 1. ero - 2 andava - 3. portava - 4. vedevo - 5. stavo - 6. vedevo

Attività 5c: ha costruito, ho cominciato, Avevo, permetteva, volevo, avevo, piaceva, faceva

Attività 5d: litigavamo, eravamo, ammirava, andavo, ero, andavamo, abbiamo avuto, hanno cominciato

Attività 7a, 7b, 7c, 7d: *la soluzione è il testo originale a pag. 38*

6. Piccoli piaceri quotidiani

Attività 1: a. Dario Fo: disegnare; b. Franca Rame: giocare con un videogame portatile; c. Massimo Ammanniti: fare una colazione abbondante; d. Carlo Scognamiglio: leggere i giornali del mattino; e. Renzo Arbore: mangiare pane e olio

Attività 2: *Possibile soluzione* - **a** Franca Rame **piace** giocare con un videogame portatile **perché** è rilassante; **a** Massimo Ammanniti **piace** fare una colazione abbondante **perché** è un lusso che si concede raramente e lo spettacolo della tavola imbandita gli dà allegria; **a** Carlo Scognamiglio **piace** leggere i giornali del mattino **perché** questo gli permette di avere un'ora tutta per sé; **a** Renzo Arbore **piace** mangiare pane e olio **perché** non c'è niente di più gustoso ed appagante e inoltre l'olio è un toccasana per il corpo.

Attività 3: inquietante/preoccupante; **strepitoso**/eccezionale, straordinario; **inseparabile**/unito, legato in modo molto stretto; **Mi segue**/viene con me; **perfino**/anche; **farne a meno**/stare senza, rinunciare; **all'occorrenza**/quando serve, quando c'è bisogno; **abbondante**/ricca, piena di cose; **lusso**/eccesso, extra; **concedermi**/darmi, permettermi; **raramente**/quasi mai, il contrario di "spesso; **imbandita**/apparecchiata, preparata, piena di cose; **amare**/senza zucchero; **quotidiani**/giornali che escono ogni giorno; **settimanali**/giornali che escono ogni settimana; **fruscio**/rumore leggero; **insaporire**/dare più gusto; **appagante**/soddisfacente; **toccasana**/rimedio straordinario, medicina che guarisce da tutte le malattie; **carburante**/benzina.

Attività 5a: *pronomi diretti*: veder<u>li</u>, <u>Mi</u> segue, assaporar<u>lo</u>, <u>Li</u> aspetto, <u>lo</u> metto, <u>lo</u> metteva; *pronomi indiretti*: <u>Mi</u> piace, <u>mi</u> piacciono, <u>mi</u> ha fatto, <u>Mi</u> dà, <u>Mi</u> piace, <u>Mi</u> piace, conceder<u>mi</u>, <u>mi</u> dà, <u>Mi</u> piace, <u>mi</u> dà, <u>Mi</u> piace, portar<u>mi</u>; *pronomi riflessivi*: <u>Mi</u> sveglio, informar<u>mi</u>, aggiornar<u>mi</u>, documentar<u>mi</u>; *pronomi combinati*: <u>Me</u> <u>l</u>'ha regalato, <u>me</u> <u>li</u> portano; *pronomi dopo preposizione*: <u>a</u> <u>me</u> piace, la lettura <u>in</u> <u>sé</u>, <u>Per</u> <u>me</u>

Attività 5b: vederli/**colori**; farne a meno/**videogame portatile**; **che** sa giocare/**computer nero**; Me l'ha regalato/**computer nero**; **Quella** a base di latte/**colazione abbondante**; assaporar**lo**/**il rito della domenica**; **Li** aspetto/**i giornali del mattino**; Me **li** portano/ **i giornali del mattino**; **lo** metto/**l'olio**; **lo** metteva/ **l'olio**; il **suo** carburante/**corpo**

Attività 7a: Dario Fo: Gli piace molto disegnare, quindi gli piacciono i colori. Raccoglie pastelli, pennarelli e matite di ogni tipo. Ha messo insieme una collezione enorme, quasi inquietante: ha occupato tutto lo studio. Sua moglie gli ha fatto un regalo di compleanno strepitoso: ottanta pennarelli ricaricabili, ottanta colori diversi. Che dire del piacere di vederli tutti sul foglio? Gli dà un grande senso di libertà. **Franca Rame:** Le piace giocare con un videogame portatile. È l'inseparabile compagno delle sue notti. La segue a letto, sul divano, perfino in bagno. Ormai non può più farne a meno, è diventato una piccola ossessione. Un piccolo computer nero - all'occorrenza silenzioso per non disturbare il sonno di suo marito - che sa giocare a poker, scala quaranta, bridge. Gliel'ha regalato il direttore del casinò di Saint Vincent. Dopo una giornata pesante non c'è niente di più rilassante che andare a letto e fare 25 mila punti. **Carlo Scognamiglio:** Gli piace leggere i giornali del mattino. Li aspetta con un sentimento di ansia quasi piacevole. Si sveglia alle sei ma glieli portano solo alle sette. Da quel momento non c'è per nessuno. Passa un'ora da solo fra le pagine di tutti i principali quotidiani e settimanali italiani. Nessuno escluso. Quello che gli dà soddisfazione non è tanto il fatto di informarsi, aggiornarsi, documentarsi: a lui piace proprio la lettura in sé, stare lì indisturbato nel fruscio della carta.

Attività 7b: la soluzione è il testo originale a pag. 46

Attività 7c: la soluzione è il testo originale a pag. 47

7. Italiani

Attività 4: la risposta è soggettiva

Attività 5: *poco cotto*: 1. al dente, 2. semicruda (semicrudo); *molto freddo*: 1. ghiacciato, 2. gelate (gelato); *molto caldo*: 1. bollente, 2. supercaldo

Attività 6a: nel primo caso" proprio" è un aggettivo possessivo, significa "sua" (nota: il possessivo "proprio" può sostituire "suo" e "loro" quando si riferisce al soggetto della frase; si usa soprattutto quando il soggetto è indefinito. *Es.: Ognuno deve fare il proprio dovere);* nel secondo caso è un avverbio e significa "appunto", "precisamente".

Attività 6b: degli altri

Attività 6c: loro/gusti, loro/culture, loro/tradizioni, loro/scelte, suoi/connazionali, suo/onore, vostra/bandiera, miei/connazionali

Attività 8a e 8b: la soluzione è il testo originale a pag. 56

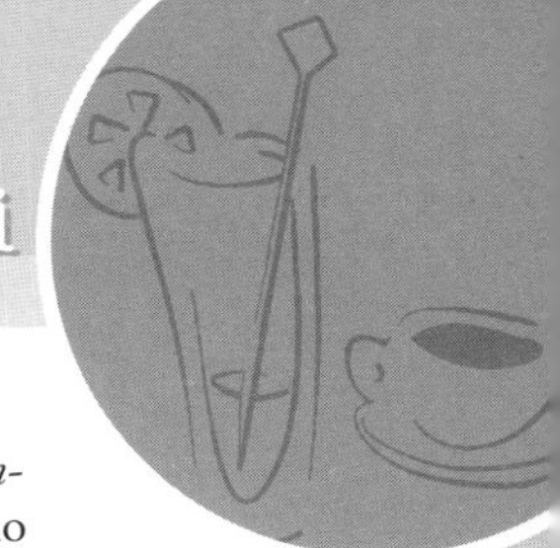

8. Italiani e italiane

Attività 1a: 1: falso, 2: falso, 3: vero, 4: falso, 5: vero, 6: vero

Attività 1b: 1. Gli uomini spendono più delle donne; 2. Le donne tradiscono più degli uomini; 3. Nel lavoro le single hanno più successo delle donne innamorate e felicemente sposate

Attività 4: **superata/**vecchia, non attuale; **avere le mani bucate/**spendere in modo eccessivo; **casalinghe/**donne che si occupano della casa e della famiglia; **impiegate/**donne che lavorano in un ufficio; **fedeli/**persone che non tradiscono; **imbarazzati/**timidi, insicuri; **delusioni/**esperienze negative; **determinate/**decise, sicure; **stabile/**fisso, solido, il contrario di "incerto"; **fare carriera/**migliorare la posizione nel lavoro; **rare/**poco comuni, molto particolari

Attività 5a: *comparativo di maggioranza*: le donne spendono più degli uomini; Gli uomini tradiscono più delle donne; Gli amori extramatrimoniali ora piacciono più a lei che a lui; le casalinghe tradiscono più delle impiegate; Nel lavoro le donne innamorate e felicemente sposate hanno più successo delle single; le donne che vengono da delusioni sentimentali hanno più successo di quelle innamorate e felicemente sposate; Per le donne è più conveniente lavorare con un capo uomo che con un capo donna; Le donne manager sono più preparate degli uomini manager; *comparativo di minoranza*: le casalinghe tradiscono... meno delle manager e delle attrici; In amore gli uomini sono meno sicuri delle donne

Attività 5b: normalmente si usa "di" per paragonare due o più sostantivi *(le donne spendono più degli uomini; le casalinghe tradiscono più delle impiegate)* o due o più pronomi *(Io sono più vecchio di te)* mentre si usa "che" per paragonare due o più pronomi preceduti da preposizione *(Gli amori extramatrimoniali ora piacciono più a lei che a lui)*, due o più verbi *(Per le donne è più conveniente lavorare con un capo uomo che (lavorare) con un capo donna)* o due o più aggettivi *(Quella donna è più fortunata che brava)*

Attività 5c: *superlativo relativo*: Le meno fedeli di tutte sono le cinquantenni e le sessantenni; sono le più determinate a raggiungere il successo sociale; *superlativo assoluto*: cioè donne non giovanissime; Le donne manager nelle aziende italiane sono bravissime

Attività 6: *comparativo di maggioranza*: 5. ...le manager e le attrici tradiscono più delle casalinghe; 6. In amore le donne sono più sicure degli uomini; *comparativo di minoranza*: 2. Le donne tradiscono meno degli uomini; 3. Gli amori extramatrimoniali ora piacciono meno a lui che a lei; 4. ...le impiegate tradiscono meno delle casalinghe; 7. ...le donne innamorate e felicemente sposate hanno meno successo di quelle che vengono da delusioni sentimentali; 8. Per le donne è meno conveniente lavorare con un capo donna che con un capo uomo; 9. Gli uomini manager sono meno preparati delle donne manager

Attività 8: tranne che per le frasi 1 (Gli uomini spendono più **delle** donne), *2* (Le donne tradiscono più **degli** uomini) e 4 (Nel lavoro le single hanno più successo **delle** donne innamorate e felicemente sposate), la soluzione è il testo originale a pag 60-61.

9. Paese che vai lingua che trovi

Attività 2: *Possibile soluzione* - a) il dubbio linguistico riguarda lo strano uso del verbo riflessivo "chiamarsi" nella formula "Mi chiamo...", che sembra indicare una improbabile azione del soggetto su se stesso (Io mi chiamo Paolo = Io chiamo me stesso Paolo); b) L'autore ipotizza che in questo caso il verbo riflessivo abbia un valore passivo (Io mi chiamo Paolo = Io sono chiamato Paolo)

Attività 3: **curiosa/**strana, particolare; **impropria/**imprecisa, sbagliata; **filologo/**persona che studia la lingua in modo scientifico; **sillabar(le)/**fare lo spelling di una parola; **equivoci/**errori di comprensione; **placare/**calmare

Attività 4: la risposta è soggettiva

Attività 5: le/**Lei (forma di cortesia), l'autore dell'articolo**; ne/**l'espressione**; sillabarle/**le generalità**; che/**tedeschi**; che/**l'espressione**; mia/**curiosità**

Attività 7: la soluzione è il testo originale a pag. 66

10. Una domenica italiana

Attività 2a: I nonni; I padri; I figli; passa la domenica a casa; preferisce allontanarsi dalla città; non pensa al "CHE COSA" ma al "CON CHI"

Attività 2b: Una buona **bottiglia** di **vino**

Attività 3: *Possibile soluzione - anziani*: restano a casa, in famiglia/stanno insieme ai parenti/mangiano piatti tipici, lasagne o pasta preparata in casa e pastarelle; *adulti*: vanno in campagna, al ristorante tipico/stanno con i vecchi amici/cercano sapori nuovi, fanno colazione con caffè, latte e biscotti; *giovani*: girano per la città, vanno in locali giovani e informali/stanno insieme ai propri coetanei/mangiano quello che capita, di solito invece del pranzo fanno un brunch.

Attività 4: assaporare/gustare, sentire; recuperare/riprendere, ritrovare; coetanei/che hanno la stessa età; inquieta/nervosa, agitata, poco tranquilla; pastarelle/dolci tipici della domenica; trascorrere/passare; cibi/cose da mangiare; aperitivo/bevanda che si beve prima di mangiare; informali/non troppo seri, non troppo eleganti

Attività 5a: vero, vero, vero, falso, falso, falso, vero

Attività 5b: 1. Quelli che hanno più di 50 anni passano la domenica a casa; 2. Quelli che sono della generazione di mezzo preferiscono allontanarsi dalla città; Quelli che hanno fra i 20 e i 34 anni non pensano al "CHE COSA" ma al "CON CHI"

Attività 8a: l'abitudine di cui si parla è "il brunch"

Attività 9: *Possibile soluzione* - Il brunch è un misto di colazione e pranzo. Mentre la colazione si fa al bar e il pranzo al ristorante, il brunch si fa in locali più attraenti di un bar ma più informali di un ristorante. L'orario di un brunch è tra le 11.30 e le 13.30, cioè più tardi della colazione, ma prima del pranzo. Il menù è una fusione di dolce e salato. Il prezzo è superiore a quello di una colazione ma inferiore a quello di un pranzo.

Attività 10a: la soluzione è il testo originale a pag. 71

Attività 10b: la soluzione è il testo originale a pag. 75

11. Mestieri d'Italia

Attività 3a: *mestieri tradizionali*: fantesca, calzolaio, arrotino, telegrafista, vetturini (vetturino) con carrozzella, bambinaia, sarta, istruttore di portamento, istruttore di galateo; *mestieri moderni*: baby-sitter, bioinformatico, progettista di software, cablografista, esperto in grafica web, esperto di tecnologie digitali, esperto del tempo libero, organizzatore di feste, istruttori (istruttore) di free-climbing, istruttori (istruttore) di aerobica

Attività 3b: 2/g; 3/a; 4/f; 5/h; 6/d; 7/i; 8/e; 9/b

Attività 4a: *ancora*: resistono ancora i mestieri; si possono ancora trovare la bambinaia e la sarta; il passato è ancora tra noi; *già*: il futuro è già qui; *mai*: non faceva mai la spia; sono entrate nuove professioni mai sentite prima; che non cambierebbero mai lavoro; *più*: di un'Italia che non c'è più

Attività 5: 1. faceva sempre la spia 2. cambierebbero sempre lavoro; 3. non si possono più trovare la bambinaia e la sarta; 4. il passato non è più tra noi

Attività 7: la soluzione è il testo originale a pag. 78

12. Il lavoro del domani

Attività 1: n° 1. Professor De Masi, quali mestieri faranno gli italiani nel futuro? **n° 2.** Aumenteranno i lavori di tipo intellettuale e collettivo? **n° 3.** Come sarà il futuro? **n° 4.** Dove dovrà investire l'Italia? **n° 5.** Quale sarà il protagonista nel panorama dei nuovi mestieri?

Attività 2: a) falso; b) falso; c) vero; d) vero

Attività 3: faranno/fare, diminuiranno/diminuire, produrrà/produrre, Aumenteranno/aumentare, resteranno/restare, sarà/essere, pulirà/pulire, nutrirà/nutrire, sarà/essere, saranno/essere, riuscirà/riuscire, potranno/potere, dovrà/dovere, dovrà/dovere, potrà/potere, sarà/essere, sarà/essere, Aumenterà/aumentare, nasceranno/nascere

Attività 6: la soluzione è il testo originale a pag. 82

13. Telefonini, che passione

Attività 3a: *Possibile soluzione - di cosa parlano*: del cibo; *perché lo usano*: per organizzare pranzi e cene in perfetto orario, per rintracciare i figli in ogni momento; *dove lo usano*: dappertutto, in cima alle montagne, a tavola, in macchina, a letto, in viaggio, anche in aereo

Attività 3b: la risposta è soggettiva

Attività 4: scuocere/cuocere troppo; predilezione/preferenza, passione; abbinare/collegare; sugo/salsa; adolescenti/sotto i 16 anni; rintracciare/trovare, raggiungere; ovunque/in ogni posto, dappertutto; in cima/sopra, in alto; atterraggio/discesa, arrivo a terra; manualetto/piccolo libro di istruzioni

Attività 6a: Una mia amica americana diceva (che) se ascolti gli italiani che parlano al telefonino, scoprirai (che) l'argomento delle loro conversazioni è il cibo.
In effetti succede di sentire uomini d'affari che parlano

apparentemente impegnati in telefonate molto serie, ma che in realtà dicono: "Sì, mamma. Certo che ho mangiato. Ho mangiato *spaghetti all'amatriciana.*" O quelli sposati che parlano con la moglie: "No, amore, ho mangiato un panino al volo. Stasera cosa si mangia?"
Bisogna ammettere però che il telefonino ha salvato gli italiani da una brutta situazione. Treni in ritardo. Mezzi pubblici pure. Scioperi. Traffico fermo. In questo quadro, senza il telefonino organizzare il pranzo è difficile, mamme, fidanzate e fidanzati rischiano di scuocere la pasta! Invece, grazie al telefonino, si programmano pranzi e cene in perfetto orario. Per spiegarmi la passione italiana per i telefonini non trovo teoria migliore che quella gastronomica, credo dipenda dalla predilezione degli italiani per il mangiar bene. È importante abbinare la pasta giusta al sugo giusto e i vini adeguati a tutto il resto.
Inoltre mamme e papà italiani comprano ai propri figli adolescenti il telefonino per poterli rintracciare in ogni momento. Mia madre ha apprezzato il cellulare che le ha regalato suo marito, lo trova interessante per la sicurezza "Se si ferma l'auto per strada, si può chiedere subito soccorso." Per ora non l'ha mai usato. Gli italiani invece lo usano ovunque: in cima alle montagne, a tavola, in macchina, a letto, mentre viaggiano. Lo dimostrano le due signore che sono state denunciate perché parlavano al cellulare durante l'atterraggio dell'aereo su cui viaggiavano.
Per fortuna qualcuno ha capito che occorreva educare la gente all'uso del cellulare e ha pubblicato un manualetto pieno di consigli importanti come: "Non si deve mai appoggiare il telefonino sulla tovaglia come un pezzo di pane" oppure "Poche chiacchiere, comunicazioni essenziali".
Infatti, molte telefonate sono diventate telegrafiche: "Sto arrivando. Butta la pasta."

Attività 6b: succede di sentire uomini d'affari che parlano al telefonino/uomini d'affari; ma che in realtà dicono/uomini d'affari; O quelli sposati che parlano con la moglie/quelli sposati; Mia madre ha apprezzato il cellulare che le ha regalato suo marito/il cellulare; Lo dimostrano le due signore che sono state denunciate/le due signore

Attività 6c: su cui (l'atterraggio dell'aereo **su cui** viaggiavano)

Attività 7a: *discorso diretto:* "Sì, mamma. Certo che ho mangiato. Ho mangiato *spaghetti all'amatriciana.*"/ "No, amore, ho mangiato un panino al volo. Stasera cosa si mangia?" / "Se si ferma l'auto per strada, si può chiedere subito soccorso." / "Sto arrivando. Butta la pasta."

Attività 7b: 1. ha mangiato; 2. aveva mangiato; 3. ha mangiato, mangerà; 4. aveva mangiato, sarebbe mangiato; 5. può; 6. sarebbe potuto; 7. sta arrivando; 8. stava arrivando

Attività 8a e 8b: la soluzione è il testo originale a pag. 87

Attività 10: *Possibilie soluzione - riguardo all'uso del telefonino l'autore è*: favorevole solo a certe condizioni; *perché*: bisogna usarlo in modo corretto, senza disturbare gli altri

Attività 11: *Possibile soluzione - ben educati*: lo usano in modo molto discreto, si servono della segreteria telefonica, non disturbano gli altri; *maleducati*: interrompono la conversazione con gli altri per rispondere al telefonino, non usano la segreteria telefonica, disturbano, fanno rumore, obbligano gli estranei ad ascoltare i loro fatti personali, parlano al telefonino mentre camminano in mezzo alla strada.

Attività 12: che/i quali; che; che/i quali; nella quale/in cui; il quale/cui; Chi; nel quale/in cui; che/i quali;

14. Un popolo di vanitosi

Attività 1: comportamenti sociali, bellezza, forma fisica

Attività 2: *Possibile soluzione - Gli italiani:* si iscrivono nelle palestre, frequentano i centri fitness, si rivolgono agli istituti di bellezza, consumano prodotti cosmetici, ricorrono alla chirurgia estetica, si sottopongono a diete ferree

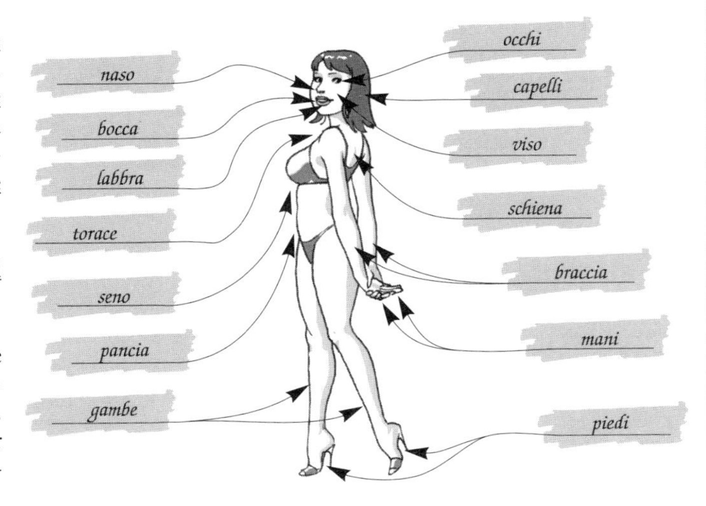

Attività 4: il seno/**i seni**; il naso/**i nasi**; la bocca/**le bocche**; la pancia/**le pance**; **l'occhio**/gli occhi; il viso/**i visi**; **il capello**/i capelli; **la gamba**/le gambe; **la mano**/le mani; **il piede**/i piedi; **il braccio**/le braccia; la schiena/**le schiene**; il torace/**i toraci**; **il labbro**/le labbra; l'orecchio/**le orecchie**; l'uomo/**gli uomini**

Attività 6: *verbi riflessivi*: si dedica; si iscrivono; si rivolgono; si rifanno; si riducono; si cambiano; si ricorderà; si sottopongono; *verbi impersonali*: si potrebbe; si sa; si ritorna; *verbi riflessivi e impersonali*: ci si deve sorprendere

Attività 9: a) Non fate mai il passo più lungo della gamba (fare il passo più lungo della gamba); b) Non seguite tutte queste regole alla lettera (seguire una regola alla lettera)

Attività 10: 1. Pratica un po' di sport. Ma stai/sta' attento: non concentrare tutto il movimento in un solo giorno della settimana, dedica all'attività fisica almeno mezz'ora ogni giorno. 2. Fai/Fa' attenzione a cosa mangi. Consuma cibi biologici e naturali. 3. Bevi con moderazione. In particolare non bere troppo alcool o bevande troppo gassate. 4. Mangia con calma. Almeno una volta al giorno, siediti a tavola e prenditi il tempo necessario per gustare quello che mangi. 5. Vai/Va' dal medico regolarmente per controlli ed esami periodici. Ricorda: prevenire è meglio che curare! 6. Evita sostanze chimiche, prendi le medicine solo quando è veramente necessario. 7. Abbi rispetto del tuo corpo e impara a rilassarti. Non fare mai il passo più lungo della gamba. Prenditi spesso dei brevi periodi di vacanza durante l'anno. 8. Non andare a letto troppo tardi e dormi almeno 8 ore a notte. 9. Non fumare. 10. Non seguire tutte queste regole alla lettera, ma ogni tanto concediti qualche trasgressione!

Attività 11: la soluzione è il testo originale a pag. 94

15. Matrimonio all'italiana

Attività 1: *Titolo*: Matrimoni più lunghi se la coppia è bugiarda

Attività 2a: *è d'accordo*: Willy Pasini, la maggior parte degli esperti; *non è d'accordo*: Margaret Mazzantini; *non esprime una posizione netta*: Gianna Schelotto

Attività 2b: b, b, a, a

Attività 4a: cambi/cambiare/Chi pensa che lealtà ecc. ecc. (*il soggetto è l'intera frase*); abbia/avere/ognuno; si presenti/presentarsi/il concetto di coppia; aiuti/aiutare/la menzogna; debba/dovere/ognuno; dica/dire/il mio partner; parli/parlare/(il mio partner); sia/essere/(*nessun soggetto, la frase è impersonale*); faccia/fare/la sincerità; faccia/fare/cosa

Attività 4b: cambi/è meglio che; abbia/credo che; si presenti/ritiene che; aiuti/pensa che; debba/pensa che; dica/non amo che; parli/preferisco che; sia/pare (che), faccia/sembra che; faccia/è difficile dire cosa *(introduce una frase interrogativa indiretta)*

Attività 4c: *verbi che introducono un'opinione*: pensa che, credo che, ritiene che, pensa che; *verbi che esprimono un sentimento*: non amo che, preferisco che; *verbi o espressioni impersonali*: è meglio che, pare (che), sembra che; *espressioni che introducono una frase interrogativa*: è difficile dire cosa

Attività 6: la soluzione è il testo originale a pag. 102

16. Sogni e incubi degli italiani

Attività 3: a) falso, b) vero, c) vero, d) vero, e) falso

Attività 4: **incubi**/brutti sogni; **allenate**/abituate; **popolati**/abitati; **ghignanti**/che ridono in modo cattivo; **sprezzanti**/che esprimono disprezzo; **angosce**/paure profonde; **farcela**/riuscire a fare qualcosa; **incontaminata**/pura, pulita; **sonniferi**/medicine che aiutano a dormire; **impegnativi**/faticosi, difficili; **forse**/magari

Attività 6a: 2. essere traditi/infinito/essere/tradire; 3. è stata condotta/passato prossimo/essere/condurre; 4. vengono ricordati/presente indicativo/venire/ricordare; 5. sono popolati/presente indicativo/essere/popolare; 6. essere amati/infinito/essere/amare; 7. essere giudicati/infinito/essere/giudicare; 8. viene ridotta/presente indicativo/venire/ridurre

Attività 6b: i due verbi ausiliari sono "essere" e "venire"; la differenza consiste nel fatto che la forma passiva con l'ausiliare "essere" si può fare con tutti i tempi verbali, mentre quella con l'ausiliare "venire" si può fare solo con i tempi semplici e non con i tempi composti (Es: posso dire sia "I sogni **sono ricordati** più frequentemente dalle donne" che "I sogni **vengono ricordati** più frequentemente dalle donne" perché la forma passiva è costruita con il presente indicativo che è un tempo semplice; mentre nella frase "L'indagine **è stata condotta** da un istituto di ricerca" il verbo "essere" non può essere sostituito dal verbo "venire" perché la forma passiva è costruita con il passato prossimo che è un tempo composto).

Attività 6c: 2. essere traditi/dal partner; 3. è stata condotta/da un istituto di ricerca; 4. vengono ricordati/dalle donne, dagli uomini; 5. sono popolati/da capiufficio ghignanti e colleghi sprezzanti, appuntamenti mancati, treni e aerei; 6. essere amati/(no complemento d'agente); 7. essere giudicati/(no complemento d'agente); 8. viene ridotta/(no complemento d'agente)

Attività 7a: ansia/**ansioso**; disastro/**disastroso**; angoscia/**angoscioso**; strategia/**strategico**; energia/**energico**

Attività 7b: popolato/**popolazione**; moderato/**moderazione**; impresso/**impressione**; insicuro/**insicurezza**; bello/**bellezza**; tranquillo/**tranquillità**; nudo/**nudità**; quotidiano/**quotidianità**; diverso/**diversità**

Attività 7c: ricordare/**ricordo**; riposare/**riposo**; sognare/**sogno**; allenare/**allenamento**; suggerire/**suggerimento**; cambiare/**cambiamento**; tradire/**tradimento**; funzionare/**funzionamento**

Attività 9: la soluzione è il testo originale a pag. 108

Attività 10: si dorme; essere riconquistata; sono stati modificati; È stato visto; è stato consentito; è stato condotto

17. Italiani al volante

Attività 1a: Molti lettori mi **scrivono** lettere addolorate per deplorare che tanti automobilisti in Italia **vadano** a velocità eccessiva, e mi chiedono di unirmi alla deplorazione, nella speranza che almeno qualcuno **moderi** la velocità. Mi **piacerebbe** essere utile, ma a parte il fatto che le esortazioni servono a poco, ho sempre pensato che il mio mestiere **sia** non tanto di esortare, quanto di descrivere e, se possibile ___________, di capire. Dunque: perché tanta gente **va** troppo veloce in automobile e perché ciò **accade** in Italia?

Attività 2: *Possibile soluzione* – Secondo l'autore dell'articolo tanta gente va veloce in automobile perché la velocità nella guida è vissuta come prova di bravura; correre in automobile dà delle emozioni particolari. Ciò accade in Italia più che altrove perché l'Italia è un Paese che attraversa uno stadio ancora arretrato dal punto di vista automobilistico: l'automobile è vista ancora come strumento di piacere e non come strumento utile che consente di andare dal punto A al punto B.

Attività 3: a) falso, b) falso, c) vero, d) vero, e) vero, f) falso

Attività 4: automobilisti, vadano a velocità eccessiva, moderi la velocità, va troppo veloce in automobile, velocità, corsa in autostrada a tutto gas, velocità nella guida, guidatore, prendere una curva, ruote, perdere l'aderenza sull'asfalto, fare un sorpasso, vetture, accelerare il motore al massimo dei giri, automobilisti, va troppo forte, motorizzazione, automobile, motorizzazione, automobile, auto, motorizzazione, automobili, guida

Attività 6a: nella speranza che/moderi/congiuntivo; ho sempre pensato che/sia/congiuntivo; è da escludere che/sia dovuta/congiuntivo; Non c'è nessuna ragione al mondo perché/siano/congiuntivo; è risaputo che/permette/indicativo; Questa è la ragione per cui/va/indicativo; sono convinto che/sia/congiuntivo; dobbiamo tenere conto del fatto che/cresce, c'è/indicativo

Attività 6b: il verbo è "sia" nella frase "sono convinto che la predisposizione <u>sia</u> questione, non tanto di indole nazionale, quanto di stadio di sviluppo." In questo caso è possibile usare anche l'indicativo ("è"), poiché il verbo dipende da un'espressione che indica allo stesso tempo opinione ma anche certezza ("sono convinto che"). In tal caso la scelta tra congiuntivo e indicativo dipende da ragioni stilistiche.

Attività 6c: "sono convinto che la predisposizione sia questione, <u>non tanto</u> di indole nazionale, <u>quanto</u> di stadio di sviluppo."

Attività 7: a) La gente va troppo veloce non tanto per la fretta <u>quanto</u> per dimostrare le proprie capacità. b) La velocità nella guida è vissuta <u>non tanto</u> come possibilità di risparmiare tempo <u>quanto</u> come prova di bravura. c) Sono convinto che la predisposizione degli italiani ad andare troppo veloci sia <u>non tanto</u> questione di indole nazionale <u>quanto</u> di stadio di sviluppo. d) Nei Paesi di motorizzazione antica, l'automobile è considerata <u>non tanto</u> un mezzo per andare più veloci <u>quanto</u> uno strumento utile che consente di andare dal punto A al punto B.

Attività 8: la soluzione è il testo originale a pag. 116-117

Attività 10: 1. ma a parte il fatto che le esortazioni servano (servono) a poco; 2. Non c'è nessuna ragione al mondo perché gli italiani sono (siano)

Attività 12: la soluzione è il testo originale a pag. 116-117

18. Mammoni d'Italia

Attività 3: *Possibile soluzione* - Secondo l'articolo i giovani italiani rimangono a vivere con i genitori più a lungo che negli altri Paesi perché la famiglia è un luogo confortevole, fonte di vizi, servizi e benefici.

Attività 4: 2/f, 3/g, 4/b, 5/h, 6/a, 7/c, 8/e

Attività 5a: *periodo ipotetico 1° tipo*: 1. il 25% degli uomini divorziati e il 17% delle donne divorziate se il matrimonio fallisce torna nella famiglia di origine; *periodo ipotetico 2° tipo*: 1. "Se ci fosse lavoro, sarebbe più facile andare via di casa"; 2. "Se le case fossero meno care, potremmo prendere in affitto un appartamento e dividerlo con qualche amico"; 3. se potessero scegliere, starebbero sempre con mamma e papà

Attività 5b: con il periodo ipotetico del 1° tipo si esprime un'ipotesi reale, con il periodo ipotetico del 2° tipo si esprime un'ipotesi possibile.

Attività 5c: il principale tipo di periodo ipotetico, oltre a quelli già visti, è il periodo ipotetico del 3° tipo, che si forma con *se + congiuntivo trapassato + condizionale composto* e con il quale si esprime un'ipotesi irreale ("Se avessi studiato di più, avresti passato l'esame").

Attività 7a: *si usano con il congiuntivo*: benché, sebbene; *si usa (di solito) con l'indicativo*: anche se; *si usa con il gerundio*: pur

Attività 7b: 1. benché/sebbene; 2. benché/sebbene; 3. anche se; 4. pur

Attività 8: la soluzione è il testo originale a pag. 128

Attività 9b: la soluzione è il testo originale a pag. 129

Attività 11: la soluzione è il testo originale a pag. 124

19. Gli italiani e il caffè

Attività 1: le definizioni si riferiscono al "caffè"

Attività 3: *Possibile soluzione - il caffè in Italia:* è usato come tonico e digestivo; è molto forte, molto concentrato; si consuma al bar, insieme agli amici; ce ne sono tanti tipi; *il caffè negli altri Paesi*: viene consumato come bevanda anche durante i pasti; è meno forte, meno concentrato, più lungo; di solito si consuma a casa

Attività 5a: *f. attiva - Ind. presente*: è, (c')è, vuole, sono, consumiamo, usiamo, è, è, sono, prendono, è, è, gesticolano, gridano, è, chiedi, rispondono, possono, sono, è, sono, deve, siete; *f. attiva - Ind. pass. prossimo*: sono arrivati, è nato; *f. attiva - Ind. futuro*: avrà; *f. attiva - Cond. presente*: sarebbe; *f. attiva - Cong. presente*: siano, sia; *f. attiva - Inf. presente*: calcolare, bere, insegnare, urlare, riuscire, mantenere, diffonder(la), fare, essere, gustar(vi); *f. passiva - Ind. presente*: va cercata, viene consumato, si beve (*"si" passivante*), Va servito; *f. passiva - Cong. presente*: siano rispettate, *f. passiva - Inf. presente*: essere chiesti

Attività 5b: *essere*: siano rispettate, essere chiesti; *venire*: viene consumato; *andare*: va cercata, Va servito; *"si" passivante*: si beve

Attività 5c: 1. la forma passiva con il verbo "andare"; 2. si possono usare con i tempi composti: "essere", "si" passivante; non si possono usare con i tempi composti: "venire", "andare"

Attività 6: 1. *"si passivante"*: Nei Paesi del Nord Europa si consuma come bevanda anche durante i pasti. 2. *essere*: Pertanto in molti Paesi è bevuto più caffè che in Italia (*meglio*: Pertanto in molti Paesi il caffè è bevuto più che in Italia); 2. *venire*: Pertanto in molti Paesi viene bevuto più caffè che in Italia. 3. *venire*: Ma quanti tipi di caffè possono venire chiesti a un barista? 3. *"si passivante"*: Ma quanti tipi di caffè si possono chiedere a un barista? 4. *venire*: L'importante è che vengano rispettate le regole del vero "espresso italiano"; 4. *"si passivante"*: L'importante è che si rispettino le regole del vero "espresso italiano"

Attività 7: frase 1: "perché" introduce una causa. È seguito dall'Indicativo; frase 2: "perché" introduce il fine, lo scopo, l'obiettivo di un'azione. È seguito dal Congiuntivo.

Attività 8: 1. cappuccino freddo; 2. espresso caldo; 3. caffè al vetro; 4. caffè corretto; 5. caffè macchiato; 6. caffè freddo; 7. caffè con spruzzata di cacao

Attività 9: la soluzione è il testo originale a pag. 132

Attività 11: la soluzione è il testo originale a pag. 132

20. Buoni e cattivi

Attività 2: *Possibile risposta* - "La doppia morale" del titolo si riferisce a quella mentalità opportunistica che sostiene che un reato va giudicato in modo diverso a seconda del danno che produce a noi. Secondo questa mentalità se il danno non ci riguarda direttamente il reato andrebbe giudicato in modo meno grave di un reato che ci provoca un danno diretto.

Attività 3a: *Possibili risposte* - a) la delazione, a differenza della denuncia, avviene di nascosto; b) la mentalità italiana è una mentalità opportunistica, perché si basa sulla convenienza personale; c) la mentalità opportunistica può essere causa di omertà e di corruzione; d) bisognerebbe denunciare apertamente i reati, senza pensare alla propria convenienza personale

Attività 3b: a, a, b, a, b, a, a, a, a, a, b, b, a, a, b

Attività 5a: piacerebbe/piacere; farei/fare; dovrebbe/dovere; sarebbe/essere; andrebbe (giudicata)/andare; potrebbe/potere; dovremmo/dovere; potrebbe/potere; consentirebbe/consentire

Attività 5b: *esprimere una conseguenza logica*: farei, dovrebbe, potrebbe, dovremmo, potrebbe, consentirebbe; *riferire in modo dubitativo una notizia non confermata o l'opinione di qualcuno*: sarebbe, andrebbe; *esprimere un desiderio*: piacerebbe

Attività 6: la soluzione è il testo originale a pag. 142

Attività 8: la soluzione è il testo originale a pag. 142

21. Parliamo italiano? No, grazie!

Attività 2: *Titolo*: Parliamo italiano? No, grazie!

Attività 3a: a, b, a, b, a, b, a

Attività 3b: le risposte sono soggettive

Attività 5: 1. anche/persino; 2. ma/bensì; 3. quelli/coloro; 4. nessuno/alcun; 5. invece, al posto di/in luogo di; 6. invece, al posto di/anziché; 7. niente/alcunché; 8. qualche volta/talvolta; 9. spesso/sovente; 10. purtroppo/ahimé

Attività 7: la soluzione è il testo originale a pag. 150

22. La raccomandazione

Attività 1a e 1b: Il comportamento è la **raccomandazione**.

Attività 2: la soluzione è il testo originale a pag. 152-159

Attività 3: *Possibile risposta* - A Bernalda la raccomandazione tocca tutti gli aspetti della vita del paese ed è vissuta dagli abitanti come se fosse iscritta nel proprio destino; è un fenomeno che riguarda tutte le occasioni, piccole e grandi, della vita. Nel nord Italia, invece, e più in generale all'estero, la raccomandazione è una pratica più raffinata: più che di raccomandazione si parla di favori, spintarelle, piccole cortesie.

Attività 4: b/7, c/4, d/9, e/3, f/1, g/10, h/6, i/2, l/8

Attività 5a: 2. sembrò che; 3. è probabile che; 4. credette che; 5. pensarono che; 6. chiese se

Attività 5b: *verbi che introducono un'opinione*: sembrò che; credette che; pensarono che; *espressioni che introducono un'opinione:* È probabile che; è probabile che; *verbi che introducono una frase interrogativa*: chiese se

Attività 5c:
1. *indicativo presente*: è probabile che ➤ *congiuntivo presente*: sia;
2. *indicativo presente*: è probabile che ➤ *congiuntivo passato*: abbiano avuto;
3. *indicativo passato*: sembrò che ➤ *congiuntivo imperfetto*: fosse;
4. *indicativo passato*: credette che ➤ *congiuntivo imperfetto*: fosse;
5. *indicativo passato*: pensarono che ➤ *congiuntivo imperfetto*: avesse;
6. *indicativo passato*: chiese se ➤ *congiuntivo imperfetto*: volesse

Attività 7a: 1. **facendo** il nome di qualcuno; 2. **chiedendo** aiuto a un parente

Attività 7b: n. 1: facendo/funzione modale; n. 2: chiedendo/funzione modale

Attività 7c: il congiuntivo imperfetto

Attività 10: la soluzione è il testo originale a pag. 158-159

Catalogo Alma Edizioni

Corsi di lingua

Espresso 1
corso di italiano
- libro dello studente ed esercizi
- guida dell'insegnante
- cd audio

Espresso 2
corso di italiano
- libro dello studente ed esercizi
- guida dell'insegnante
- cd audio

Espresso 3
corso di italiano
- libro dello studente ed esercizi
- guida dell'insegnante
- cd audio

Canta che ti passa
imparare l'italiano con le canzoni
- libro
- cd audio

Grammatiche, eserciziari e altri materiali didattici

Grammatica pratica della lingua italiana
esercizi - test - giochi

I pronomi italiani
grammatica - esercizi - giochi

Le preposizioni italiane
grammatica - esercizi - giochi

Grammatica italiana
regole ed esempi d'uso

Verbissimo
tutti i verbi italiani

Giocare con la letteratura
18 unità didattiche su scrittori italiani del '900

Ricette per parlare
attività e giochi per la produzione orale

Cinema italiano - film brevi sottotitolati

No mamma no – La grande occasione (1° liv.)
- libro di attività
- video

Colpo di testa – La cura (2° liv.)
- libro di attività
- video

Camera oscura – Doom (3° liv.)
- libro di attività
- video

Giochi

Parole crociate 1° liv.

Parole crociate 2° liv.

Parole crociate 3° liv.

Letture facili

1° livello - 500 parole

Dov'è Yukio? (libro + audiocass.)

Radio Lina (libro + audiocass.)

Il signor Rigoni (libro + audiocass.)

Pasta per due (libro + audiocass.)

2° livello - 1000 parole

Fantasmi (libro + audiocass.)

Maschere a Venezia (libro + audiocass.)

Amore in Paradiso (libro + audiocass.)

La partita (libro + audiocass.)

3° livello - 1500 parole

Mafia, amore e polizia (libro + audiocass.)

Modelle, pistole e mozzarelle (libro + audiocass.)

L'ultimo Caravaggio (libro + audiocass.)

4° livello - 2000 parole

Mediterranea (libro + audiocass.)

Opera! (libro + audiocass.)

Piccole storie d'amore (libro + audiocass.)

5° livello - 2500 parole

Dolce vita (libro + audiocass.)

Un'altra vita (libro + audiocass.)

Alma Edizioni
viale dei Cadorna, 44 - 50129 Firenze
tel ++39 055476644
fax ++39 055473531
info@almaedizioni.it
www.almaedizioni.it